collection *solo*

Département des Arts graphiques

Maurice-Quentin Delatour

La Marquise de Pompadour

Jean-François Méjanès

**Conservateur en chef
au département
des Arts graphiques**

**Réunion
des Musées
Nationaux**

Louvre

Service Culturel

Le plus beau et le plus célèbre des pastels conservés au musée du Louvre ne pourra figurer dans l'exposition *Madame de Pompadour et les arts,* inaugurée au château de Versailles avant de gagner Munich, puis Londres : la poudre fragile du pastel n'autorise ni vibration, ni donc mouvement. Ce dix-neuvième volume de la collection "Solo" permet d'abord de pallier cette absence. Le conservateur responsable des dessins français des XVIIe et XVIIIe siècles – le pastel travaillé sur papier est un dessin – a prolongé les recherches entreprises pour une présentation du *Portrait de la marquise de Pompadour* à l'auditorium du Louvre, dans le cadre de "L'œuvre en direct". Il apporte une lecture nouvelle de cette œuvre exceptionnelle.

Jeanne-Antoinette Poisson naquit dans la bourgeoisie montante qu'était encore le monde des financiers au début du XVIIIe siècle. Belle, intelligente et ambitieuse, elle sut s'agréger au monde artistique et intellectuel de Paris et intéresser écrivains, philosophes, artistes et aussi savants. Belle, intelligente et amoureuse, elle sut conquérir Louis XV et, à travers lui, régner – quasiment – sur la France. Elle tenta de convaincre le roi de découvrir, à ses côtés, l'évolution qui animait alors le royaume. C'est le programme qu'elle demanda à Delatour de traduire. L'essentiel de ce que propose Jean-François Méjanès est une analyse aussi précise que documentée du programme suggéré au roi par la marquise. Cette proposition repose sur les ouvrages que la marquise choisit de placer à ses côtés. Les modifications et adjonctions qu'elle demanda à l'artiste prouvent et son intérêt pour les idées nouvelles et son suivi attentif de l'évolution politique.

Henri Loyrette,
président-directeur du musée du Louvre

3

1 Maurice-Quentin Delatour (1704-1788)
Portrait de la marquise de Pompadour Salon de 1755
Pastel avec rehauts de gouache sur assemblage de papiers gris-bleu
marouflé sur toile tendue sur châssis - H 1,775 m ; L 1,30 m
Paris, musée du Louvre, département des Arts graphiques · Inv. 27614

Le *Portrait de la marquise de Pompadour* (1) est le plus spectaculaire des pastels conservés au musée du Louvre. Cette œuvre de Maurice-Quentin Delatour est célèbre, familière, connue de tous depuis que la photographie en a permis la reproduction. Le portraitiste a su satisfaire au désir de sa commanditaire : donner d'elle une image qui corresponde à son rôle et à ses ambitions. Usant des seuls crayons de pastel – par endroits légèrement complétés de gouache –, l'artiste a su dépasser le programme méthodiquement exposé autour de la favorite de Louis XV et unir, dans une harmonie parfaite, les intentions signifiées par les partitions, les instruments et les ouvrages figurés autour de son modèle en les alliant à la description de ce coin de cabinet qu'illumine l'éclat de la robe.

Ce portrait présente un format exceptionnel pour un pastel (1,775 mètre de hauteur et 1,30 mètre de largeur). L'artiste n'avait dépassé ces dimensions qu'en faisant le *Portrait du président Gabriel Bernard de Rieux* (27) (voir page 36). Exposé au Salon de 1741, il y fut admiré par tous et fit si forte impression sur la jeune madame d'Étiolles, future marquise de Pompadour, qu'elle demandera à Delatour de s'en inspirer pour son portrait. Tous deux sont des portraits d'apparat, des portraits officiels, mais d'un caractère intime, car ces personnalités sont montrées dans leur intérieur, entourées d'objets significatifs et familiers. À partir d'eux s'achève le mode du portrait officiel codifié auquel succèdent, grâce à Delatour, des représentations aussi psychologiquement vraies que chargées de sens. David, en peignant le *Portrait d'Antoine-Laurent Lavoisier et de sa femme* (New York, The Metropolitan Museum of Art), en donnera, quarante ans plus tard, un autre magnifique exemple.

Le *Portrait de la marquise de Pompadour* apparut au Louvre seulement en 1838. Des écrivains presque contemporains mais s'opposant dans bien des domaines exprimèrent très vite leur admiration pour ce portrait. Charles-Augustin Sainte-Beuve et les frères Goncourt, Edmond et Jules, partagèrent, au moins, l'enthousiasme qui les poussa à décrire cette œuvre, dès 1850 pour le premier, et dix ans plus tard pour les Goncourt[1 et 2]. Avant même que des gravures convenables et les premières photographies ne l'eussent divulgué, ce portrait avait été ainsi rendu célèbre par ces deux descriptions aussi fines que sensibles. Ce portrait est facile à admirer : il est la seule des œuvres sur papier conservées par le département des Arts graphiques à être presque constamment exposée. L'exceptionnelle densité des crayons de pastel utilisés par Delatour assure la protection, nécessaire contre la lumière, de l'assemblage de papiers sur lesquels l'artiste figura son modèle.

Découvrir une personnalité exceptionnelle à un moment décisif de sa vie à travers les indices que madame de Pompadour demanda à Delatour de disposer autour d'elle, tel est le propos de cet ouvrage.

En réalisant ce portrait au pastel (voir page 8), Delatour savait devoir mettre et sa totale maîtrise de cette technique et son exceptionnel sens de l'analyse psychologique au service de la femme qui dominait alors la France. Le modèle et l'artiste (voir page 32) se connaissaient depuis longtemps quand la favorite commanda ce portrait. Tout indique que le projet remonte à 1748 et la commande à 1749, la date de 1752 étant généralement donnée jusqu'à présent. Le portrait achevé ne parut qu'au Salon de 1755.

Pendant que Delatour tentait avec difficultés, non sans diversions, bonnes excuses et mauvaise foi de répondre aux désirs de la marquise, la place que la favorite tenait auprès de Louis XV et son rôle dans la vie du roi avaient subtilement évolué : la maîtresse était devenue l'amie. Madame de Pompadour voulait toujours distraire le roi en l'intéressant aux créations que les artistes faisaient pour elle dans les bâtiments qu'il lui offrait. Mais, plus encore, elle voulait lui faire découvrir l'extraordinaire évolution intellectuelle, morale, philosophique et par conséquent politique qui animait alors Paris, mais n'atteignait que peu la Cour. Ce portrait révèle le panorama de ce que la marquise, favorite devenue conseillère, entendait soumettre au roi (2). L'harmonie qui se dégage de ce pastel en a quasiment occulté, jusqu'à présent, la lecture. Sa compréhension, son interprétation ont été éclipsées au profit de la seule image. Une belle image était certainement la volonté de la marquise. Mais, pour le comprendre, ce portrait doit se lire comme un programme.

2 Maurice-Quentin Delatour
Louis XV
Pastel sur deux feuilles de papier
gris-bleu, collées en plein sur une toile
tendue sur châssis
H 0,680 m ; L 0,574 m
Paris, musée du Louvre, département
des Arts graphiques - Inv 27615

Il se parcourt, conformément au sens de la lecture, de gauche à droite, et il convient de s'arrêter sur toutes les indications accumulées autour de la figure assise, le visage détourné, les yeux ouverts sur ce qu'elle tente de créer, d'obtenir.

À gauche est illustrée, de façon allusive, la musique : un talent ancien, un goût tôt développé.

Le portrait se conclut à droite par l'évocation de la gravure qu'elle découvrit et pratiqua plus tard, entourée des meilleurs et plus célèbres maîtres travaillant pour, et en l'occurrence, avec elle.

Avant d'en arriver à cet ultime aveu, il conviendra bien sûr de s'arrêter sur l'élégance de la toilette où Delatour déploya tout son art, et sur le visage que l'artiste travailla par de multiples préparations **(3, 4 et 5)**.

L'extraordinaire nature morte de livres et d'objets **(38)** retiendra plus longuement notre attention, car c'est grâce à eux que le portraitiste a su éclairer les intentions de madame de Pompadour dans cet ambitieux autant que séduisant chef-d'œuvre, créé peu à peu au fil du temps et de l'évolution des sentiments et des rapports d'un couple d'exception.

Le pastel

Léonard de Vinci a donné une définition aussi synthétique qu'exhaustive de cette technique : "mode de colorier à sec" [3]. Vinci a peu utilisé cette technique, mais le Louvre conserve le *Portrait d'Isabelle d'Este* qu'il rehaussa d'un peu de pastel [4]. L'étymologie du nom pastel semble indiquer une création italienne : *pastello* dérive de *pasta,* la pâte. Mais Léonard lui-même précise qu'il en a appris l'usage du peintre français Jean Perréal (actif de 1483 à 1530), venu à Milan vers 1499.

Le pastel est un crayon de couleur. Il est constitué de terre blanche broyée et mêlée à des poudres de couleurs que le préparateur malaxe avec un liant, colle et gomme arabique auxquelles du lait ou du miel peuvent être ajoutés. Les proportions entre ces liants déterminent le niveau de dureté du pastel. La pâte ainsi obtenue est façonnée en petits cylindres ; ils sont mis à sécher et forment ainsi des crayons.

Les nuances possibles dépassent le millier et sont rangées dans l'ordre du spectre des couleurs dont l'intensité – au moins pour les pastels produits artisanalement – reste intacte au fil du temps.

Les crayons colorés de pastel donnent à l'artiste – ou pastelliste – la rapidité du tracé de l'écriture. La facture au pastel permet d'obtenir une multiplicité d'effets de texture, de densité et d'éclats de couleurs qui rivalisent avec ceux de la peinture, voire les dépassent. En décrivant le portrait de madame de Pompadour, les Goncourt ont joliment défini le pastel comme "fleur et poussière de vie" [5].

La volatilité de la poudre de pastel n'autorisa d'abord son emploi que pour des rehauts de couleur tels qu'en montrent les portraits dessinés des XVIe et XVIIe siècles. Cependant, la rapidité d'exécution, la diversité des couleurs et les possibilités de reprise qu'offre le pastel entraînèrent peu à peu artistes à en développer l'usage dès la fin du XVIIe siècle.

3 Maurice-Quentin Delatour
*"Préparation" d'après le visage
de madame de Pompadour* v. 1748-1749
Pastel sur papier chamois - H 0,32 m ; L 0,24 m
Saint-Quentin, musée Antoine-Lecuyer - Inv. L.T. 109

4 Maurice-Quentin Delatour
*"Préparation" d'après le visage
de madame de Pompadour*
vers 1748-1749, retouché avant 1752
Pastel sur papier chamois ; la tête a été recollée
sur un papier plus sombre - H 0,32 m ; L 0,24 m
Saint-Quentin, musée Antoine-Lecuyer - Inv. L.T. 71

5 Maurice-Quentin Delatour
*"Préparation" d'après le visage
de madame de Pompadour* v. 1752
Pastel sur papier chamois - H 0,32 m ; L 0,24 m
Saint-Quentin, musée Antoine-Lecuyer - Inv. L.T. 12

Ces qualités décidèrent de son emploi par les portraitistes : Charles Le Brun utilisa le pastel pour noter les traits de Louis XIV, et, une fois seulement, pour traduire vraiment son expression [6]. Nicolas Dumonstier fut le premier pastelliste admis à l'Académie royale, lui soumettant, en 1665, un *Portrait de Charles Errard*. Joseph Vivien fut le premier "peintre au pastel" que l'Académie royale reçut sous ce titre en 1701. Il précédait la pastelliste vénitienne Rosalba Carriera, reçue en 1720 avec un portrait allégorique, une *Nymphe d'Apollon*. Le Suédois Gustav Lundberg la suivra, entrant à l'Académie, en 1741, en lui présentant les portraits de François Boucher et de Charles Natoire [7].

Avec Maurice-Quentin Delatour (voir page 32), le pastel triompha dans l'art du portrait. Pour chacun d'entre eux, il multiplia les études et qualifia lui-même de "préparations" les premières notations qu'il relevait face au modèle. Il commen-çait en se concentrant essentiellement sur le regard et le sourire. Ayant ébauché la forme du visage, il en notait les expressions afin d'en traduire le caractère. Il confia à l'un de ses amis : "Ils croient que je ne saisis que les traits de leur visage, mais je descends au fond d'eux-mêmes à leur insu et le remporte tout entier." Le musée de Saint-Quentin a recueilli après la mort du portraitiste, et grâce au legs de son frère, un exceptionnel ensemble de préparations ; trois d'entre elles sont des étapes liées au portrait de la marquise de Pompadour (**3, 4 et 5**).

Delatour eut pour rivaux Jean-Baptiste Perronneau et le Genevois Jean-Étienne Liotard. Il n'aura qu'un élève, Joseph Ducreux.

L'art du pastel se développera à travers l'Europe dès le milieu du XVIIIᵉ siècle. À la fois ligne et couleur, le pastel est pratiqué par quelques-uns des grands créateurs contemporains.

Il convient ici d'évoquer les trois étapes que ce portrait souligne : l'ascension, sous ses noms de jeune fille et de femme mariée ; la conquête, celle du roi ; le presque règne, comme marquise de Pompadour.

Jeanne-Antoinette Poisson

Que Charles François Paul Le Normant de Tournehem fût son père naturel ou non **(6)**, il était depuis longtemps l'amant auquel sa mère revenait toujours. Jeanne-Antoinette Poisson (1721-1764) lui devait d'avoir été élevée dans un milieu qui recherchait la culture pour donner la preuve de son ascension sociale et en faire le symbole. Fils d'un fermier-général, Tournehem appartenait lui aussi à cette compagnie chargée par le roi de recouvrer les impôts individuels. François Poisson (v. 1688-1754) était le père putatif de la future marquise de Pompadour. Benjamin d'une famille paysanne de Champagne, il devint l'agent et le commissionnaire des quatre frères Pâris. Ces financiers avaient acquis une immense fortune comme fournisseurs des armées durant les désastreuses campagnes des dernières années du règne de Louis XIV. Le plus actif d'entre eux, Joseph Pâris Duverney fut l'un de ceux qui surent rétablir la confiance après la faillite du système de Law. Il suggéra des réformes financières et administratives que tentèrent d'établir Machault d'Arnouville, appelé grâce à madame de Pompadour, puis Turgot.

Trois des frères Pâris avaient signé comme témoins lors du mariage de François Poisson avec Marie-Madeleine de La Motte – mère de la future marquise, réputée avoir été plus belle que sa fille. Jean de La Motte, son père, était entrepreneur de la boucherie des Invalides. C'est d'ailleurs dans l'église des Invalides que fut célébré, en 1718, le mariage des parents de la future favorite.

Baptisée le 29 décembre 1721, Jeanne-Antoinette Poisson avait pour parrain Jean Pâris de Montmartel **(7)**, le plus jeune des frères, et pour marraine Antoinette Pâris, fille de l'aîné, Antoine. Les liens du père de Jeanne-Antoinette avec les riches et puissants Pâris l'incitèrent à accepter d'être leur bouc émissaire lors des poursuites que le cardinal de Fleury entreprit contre les gens de finance. En 1727, François Poisson fut jugé et condamné. Les Pâris lui avaient permis de s'enfuir en Allemagne où il continua

6 Louis Tocqué (1696-1772)
*Charles-François Paul
Le Normant de Tournehem*
Huile sur toile - H 1,34 m ; L 1,09 m
Versailles, musée national des châteaux
de Versailles et de Trianon
Inv. M.V. 3774

7 Maurice-Quentin Delatour
Jean Pâris de Montmartel
Pastel sur papier gris-bleu, collé
sur une toile tendue sur châssis
H 0,70 m ; L 0,57 m
Saint-Quentin, musée Antoine-Lecuyer
Inv. L.T. 10

d'exercer, à leur profit, les tâches qu'ils lui avaient confiées en France. Le père de la future marquise ne revint à Paris qu'en 1736. Avant de s'enfuir, Poisson avait confié sa fille au couvent des Ursulines de Poissy dont deux des religieuses étaient apparentées à la fillette. Elle y révéla des possibilités dans le domaine du chant et découvrit son goût pour la musique. Ce talent vocal la servira lorsqu'elle sera peu à peu introduite dans la société parisienne, sa mère l'ayant retirée du couvent en 1730.

L'essentiel de l'apport du séjour à Poissy de la future madame de Pompadour a été excellemment analysé et résumé par Danielle Gallet dans une biographie publiée en 1985, et plusieurs fois rééditée : "Au cours de son enfance perturbée, ces mois passés dans la sérénité monacale lui ont permis de s'épanouir, de manifester ses dons et déjà d'éprouver son charme. Auprès de ces âmes droites et ferventes, elle a pris le goût de l'ordre, l'habitude de la réflexion et l'idée des valeurs les plus hautes. Elle y a trouvé un refuge et le pressentiment d'une sécurité à laquelle elle savait aspirer toujours."[8]

En retrouvant sa mère, elle découvrit Tournehem que séduisit le mélange de charme et de dons qui caractérisait déjà Jeanne-Antoinette. Il aida sa mère à lui faire donner l'éducation que méritait l'adolescente, et tous deux lui cherchèrent des maîtres. Formée déjà à la musique par les religieuses de son couvent, elle devint l'élève du chanteur Pierre Jélyotte (8), l'interprète favori de Rameau. Elle reçut de Guibaudet des leçons de maintien et de danse. Jeanne-Antoinette demanda à l'auteur dramatique Crébillon le père de l'initier au théâtre. Pour compléter la formation qu'elle reçut du dramaturge, Jeanne-Antoinette choisit pour maître de déclamation Jean-Baptiste Sauvé de Lanoue, comédien mais aussi auteur de comédies.

Le milieu de Tournehem était celui des gens de finance auquel échappait souvent encore "l'art de la conversation". Celui-ci continuait de se développer alors dans les salons parisiens, où se mêlaient aux gens du monde – grands bourgeois cultivés et aristocrates curieux et à l'esprit ouvert – surtout des gens de lettres et aussi quelques savants et de plus rares artistes. L'art de la conversation était, entre eux, un mode d'échange impliquant un ton : il fallait se faire comprendre sans pédanterie, savoir être attentif aux nuances et aux sous-entendus, amusant sans trop se moquer, bref faire preuve d'esprit. Quand la débutante fut introduite dans ce monde, le salon de madame de Tencin était le plus recherché, à l'égal de celui de madame du Deffand ; toutefois cette dernière se tint toujours à l'écart de madame de Pompadour malgré de nombreuses amitiés communes.

Madame Poisson avait su s'introduire auprès de madame de Tencin avec l'aide des frères Pâris : ils étaient d'origine savoyarde comme l'était madame de Tencin. Entrée en religion, celle-ci avait quitté rapidement son couvent sur l'intervention de son frère, un abbé aussi ambitieux qu'elle. Arrivée à Paris, madame de Tencin avait été mêlée tant à la vie galante que politique et financière de la Régence.

En 1739, l'abbé obtint le chapeau de cardinal, et son aventurière de sœur se rangea elle aussi. Femme d'expérience et d'esprit, madame de Tencin sut alors attirer dans son salon hommes de

8 Charles-Antoine Coypel (1694-1752)
Pierre Jélyotte dans le rôle de la nymphe Platée
dans Platée *ou Junon jalouse,* opéra-bouffe de Rameau
Huile sur toile - H 0,540 m ; L 0,465 m
Paris, musée du Louvre, département des Arts graphiques - Inv. M.I. 1049

13

lettres, savants, penseurs et philosophes. Helvétius et Maupertuis y rencontraient Marivaux et l'abbé Prévost, encadrés par Fontenelle et Montesquieu. C'est là que la toute jeune Jeanne-Antoinette Poisson fit la connaissance de l'auteur de *De l'esprit des lois* – et peut-être aussi de Voltaire.

Elle y découvrit le ton qui régnait dans ce monde cultivé autant que spirituel. Madame de Tencin présenta la mère et la fille à sa rivale, bientôt son héritière, madame Geoffrin. On sait que la première, voyant venir plus souvent chez elle la seconde, disait : "Savez-vous ce que la Geoffrin vient faire ici ? Elle vient voir ce qu'elle pourra recueillir de mon inventaire !" Si le passé de la mère la fit exclure de cette succession, la jeune fille fut très bien accueillie par madame Geoffrin et sa fille, la marquise de La Ferté-Imbault. Elle apprenait dans ce "bureau d'esprit" des manières et un ton qu'elle n'avait pas trouvés dans l'entourage de Tournehem. Sachant écouter, elle plut ; sachant faire valoir ses talents, elle attira l'attention et fut connue de tous ; mieux encore, elle fut reconnue par tous ceux qui comptaient.

Madame Le Normant d'Étiolles

Très tôt, Tournehem (6) songea à faire de Jeanne-Antoinette son héritière, car il n'avait pas eu d'enfant de son mariage. Il avait distingué son neveu Charles-Guillaume Le Normant. Dès 1736, il commença à en favoriser la carrière, le préparant lui aussi à devenir fermier-général. Il espérait lui faire épouser Jeanne-Antoinette : en 1740, il réussit à convaincre le père de Charles-Guillaume, son frère cadet, qui s'opposait à cette alliance Poisson.

François Poisson était revenu en France en 1736. Pâris de Montmartel et Tournehem l'aidèrent à réunir la forte caution qu'il devait verser. Poisson entreprit ensuite d'obtenir la révision de son procès et il reçut l'appui de la marquise de Saissac, amie restée fidèle à madame Poisson bien qu'elle n'en ignorât pas les aventures. Née Luynes, madame de Saissac était introduite auprès du cardinal de Fleury et elle avait obtenu du conseil d'État, en 1739, un reversement partiel de l'argent versé par Poisson. En 1741, année du mariage de sa fille, il fut réhabilité publiquement et totalement, la sentence de 1727 ayant été cassée.

Tournehem fit de Charles-Guillaume Le Normant son légataire par un testament daté du 15 décembre 1740. Le 4 mars 1741 était signé le contrat de mariage entre l'héritier et Jeanne-Antoinette. Leur oncle s'engageait à loger le jeune ménage chez lui et à l'entretenir sa vie durant. Le mariage fut célébré en l'église Saint-Eustache, le 9 mars.

Son mariage rendait plus facile encore la progression de la jeune madame d'Étiolles dans les salons de Paris. C'est sous ce nom qu'elle parcourut le chemin qui lui restait à faire pour parvenir jusqu'au roi.

Le domaine d'Étiolles avait été acheté par les Le Normant en 1684. Bien que cadet, Tournehem portait le nom du fief acquis par son père en Artois. Il avait aussi hérité d'Étiolles et l'avait peu à peu agrandi en 1717, puis en 1740, quand il en acheta la seigneurie. À une trentaine de kilomètres au sud-est de Paris, les terres d'Étiolles bordaient la Seine et la forêt de Sénart. Ce massif forestier était l'un des lieux où Louis XV se plaisait souvent à chasser. Pour s'en rapprocher, il avait acheté le château de Choisy, situé sur l'autre rive de la Seine, à son Grand fauconnier, le duc de La Vallière.

Le président Hénault a décrit dans une lettre à madame du Deffand sa première rencontre à Paris, en 1742, avec la future favorite. Elle chantait ce soir-là en compagnie de Jélyotte, haute-contre qui l'avait formée : "… Je trouvais là une des plus jolies femmes que j'ai jamais vues ; c'est Mme d'Étiolles : elle sait la musique parfaitement, elle chante avec toute la gaieté et tout le goût possible, sait cent chansons, joue la comédie à Étiolles sur un théâtre aussi beau que celui de l'Opéra où il y a des machines et des changements… on me pria beaucoup d'aller être le témoin de tout cela dans un pays que j'ai beaucoup aimé, où j'ai passé ma jeunesse, dans une maison qui est la même que mon père avait mais où l'on a dépensé cent mille écus depuis…"[9]

À peine installée à Étiolles, la jeune épouse inaugura le théâtre que Tournehem avait fait construire pour elle. Le président Hénault revint dans son ancienne maison de famille et put voir à nouveau madame d'Étiolles en scène.

Madame d'Étiolles séduit le roi

C'est durant les chasses dans la forêt de Sénart que madame d'Étiolles saisit l'occasion d'attirer l'attention du roi. Sa beauté, l'élégance de ses équipages et sa coquetterie la firent remarquer par Louis XV. Dès la saison de chasse de 1743, elle fut sur la liste des dames voisines auxquelles le roi faisait déposer une part du gibier couru.

La mort brutale de la duchesse de Châteauroux (9) – une des quatre filles du marquis de Nesle – en décembre 1744 laissait libre le cœur du roi et vacante la position de maîtresse en titre qu'elle avait acquise après deux – ou trois – de ses sœurs. Madame d'Étiolles sut s'imposer dans les rivalités qui suivirent la disparition de la duchesse de Châteauroux.

9 **Jean-Marc Nattier** (1685-1766)
La Duchesse de Châteauroux
Huile sur toile - H 0,81 m ; L 1,012 m
Versailles, musée national des châteaux de Versailles et de Trianon - Inv. M.V. 8415

Une "sorcière" nommée madame Lebon, que sa mère serait venue consulter avec elle, aurait prédit à la toute jeune fille qu'elle serait un jour maîtresse du roi.

Née dans la bourgeoisie montante dont l'importance et le rôle allaient croissant rapidement depuis la fin de la Régence, mademoiselle Poisson avait appris chez madame de Tencin, puis chez madame Geoffrin, ce que les cercles éclairés découvraient alors : les valeurs de l'esprit égalent en dignité les prestiges de la naissance. Dès 1743, la duchesse de Châteauroux avait remarqué l'intérêt réciproque que se portaient le roi et madame d'Étiolles. La duchesse de Chevreuse, que celle-ci recevait déjà à Étiolles, avait mentionné son nom devant le roi durant une chasse à Sénart, lui faisant remarquer qu'elle était ce jour-là encore plus jolie qu'à l'ordinaire. Le roi s'étant détourné, madame de Châteauroux aurait dit alors : "Ne savez-vous pas que l'on veut donner au roi la petite d'Étiolles ?" La duchesse de Chevreuse était la belle-fille du duc de Luynes et ainsi petite-nièce par alliance de la marquise de Saissac.

Entre le Premier valet de chambre du roi, Dominique-Guillaume Lebel, ancien amant de sa mère, et le Premier valet du dauphin, dont celle-ci était cousine, Jeanne-Antoinette ne manquait pas d'introductions bien placées à la Cour.
Durant la semaine du carnaval de 1745 fut célébré à Versailles le mariage du dauphin avec l'infante Marie-Thérèse d'Espagne. À la demande du roi, le Premier gentilhomme de la Chambre convia madame d'Étiolles au "bal paré" donné dans le manège couvert de la Grande Écurie. Là avait été représentée, la veille, une comédie-ballet de circonstance *La Princesse de Navarre* dont Rameau fut le compositeur, et Voltaire le librettiste. Des vers de Voltaire ont fait croire que Louis XV avait séduit la future marquise de Pompadour lors du bal masqué donné le lendemain dans la Galerie des Glaces, le fameux "bal des Ifs". Le roi et sept de ses proches y parurent déguisés en ifs taillés. Le Louvre conserve deux dessins aquarellés de Charles-Nicolas Cochin le

10 Charles-Nicolas Cochin le fils
(1715-1790)
*Le "bal paré" donné à Versailles
le 24 février 1745*
Plume et encre noire, lavis gris, aquarelle
et rehauts de gouache blanche
H 0,740 m ; L 0,531 m
Paris, musée du Louvre, département
des Arts graphiques · Inv. 25251

fils : le premier **(10)** montre le "bal paré" plus solennel et réservé
aux seuls invités ; le second décrit le "bal masqué" du lendemain,
le "bal des Ifs" **(11)**.

Voltaire adressa en effet peu après à son amie, madame d'Étiolles,
un madrigal allusif. Il y comparait Louis XV à César – "Ce héros
des amants ainsi que des guerriers/Unissait le myrte aux lauriers" –
et la nouvelle favorite "À la divine Cléopâtre…". Il conclut :
"Mais l'if est aujourd'hui l'arbre que je révère/Et depuis quelques
temps j'en fais bien plus de cas/Que des lauriers sanglants du
fier Dieu des combats/Et que des myrtes de Cythère."[10]

Tandis que les fêtes du mariage se poursuivaient à Paris, madame
d'Étiolles et le roi se seraient retrouvés, masqués, au bal de
l'Hôtel de ville. Un témoin les reconnut : elle s'était démasquée ;
il identifia, à leur taille et à leur voix, le roi et son compagnon le
duc d'Ayen, venus la rejoindre dans un cabinet écarté où elle
avait trouvé refuge pour échapper à la foule. Toutefois, les deux
hommes l'auraient raccompagnée chez madame Poisson – et non
emmenée à Versailles, comme le suggérait ce témoin.

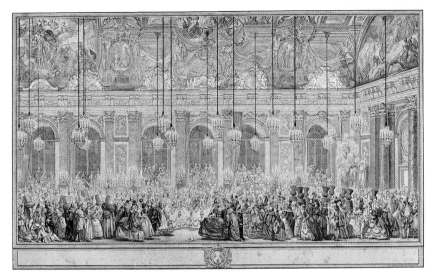

11 Charles Nicolas Cochin le fils
Le bal masqué, dit *"bal des Ifs"*
Plume et encre noire, lavis gris, aquarelle et rehauts de gouache blanche · H 0,455 m ; L 0,764 m
Paris, musée du Louvre, département des Arts graphiques · Inv. 25253

Tournehem avait éloigné l'époux en le chargeant d'une tournée
en province. Revenu à Paris et n'y trouvant pas sa femme,
Charles-Guillaume découvrit son infortune. Son oncle sut atténuer
les réactions brutales de l'homme trompé et le convaincre que la
passion du roi était si violente que Jeanne-Antoinette n'avait pu
lui résister.

Dès le mois de mars, elle séjournait secrètement dans l'appartement
aménagé pour Louise de Mailly – la première, et la plus discrète,
des trois sœurs Nesle devenues maîtresses en titre – au deuxième
étage du palais et au-dessus des "petits appartements", domaine
réservé de Louis XV. Il y soupait les soirs de chasse avec ceux qui
l'avaient accompagné et quelques intimes dont les noms avaient
été donnés. Un huissier appelait ceux qui avaient été choisis ce
soir-là. Point d'appel dès le 27 mars, et pourtant le roi ne soupa
certainement pas seul. La rumeur courut Versailles, mais il
s'avéra que l'appartement Mailly n'était qu'un pied-à-terre, et
que madame d'Étiolles rentrait encore souvent à Paris, chez sa
mère.

12 **Maurice-Quentin Delatour**
Le Maréchal de Saxe
Pastel sur papier gris-bleu
H 0,58 m ; L 0,48 m
Paris, musée du Louvre,
département des Arts graphiques
Inv. 27611

Les campagnes de la guerre de Succession d'Autriche reprirent au printemps, la France et la Prusse combattaient les Anglais et les Autrichiens en Flandre. Le 6 mai 1745, Louis XV et le dauphin quittèrent Versailles pour rejoindre le maréchal de Saxe **(12)**. Madame d'Étiolles n'avait pas paru au dîner auquel avaient été conviées, la veille, les plus grandes dames de la Cour. Pourtant le roi avait pris soin, avant de quitter celle qui l'avait totalement conquis, d'assurer sa reconnaissance comme maîtresse en titre. À peine anoblie par un mariage qu'elle venait de rompre, la bourgeoise devait recevoir un titre pour être présentée au roi et à la reine et paraître officiellement à la Cour. Une de ses voisines d'Étiolles, Françoise de Pompadour, était morte en 1740, ne laissant qu'une fille, mariée à un ami du roi, le comte d'Albert d'Ailly, plus tard duc de Chaulnes. C'est à lui que Louis XV demanda la permission de reprendre le nom et les armes des Pompadour – d'azur à trois tours d'argent maçonnées de sable –, blason visible sur le carton à dessin placé par Maurice-Quentin Delatour aux pieds de la marquise **(13)**.

13 Maurice-Quentin Delatour
*Portrait de la marquise
de Pompadour*
Le blason des Pompadour
(détail)

Le trésor royal avait payé le duché de Châteauroux pour Marie-Anne de Nesle ; madame de Pompadour se vit, elle, offrir son fief par son parrain, Pâris de Montmartel **(7)**. La nouvelle favorite ne commit pas non plus l'erreur de suivre le roi en campagne, comme l'avait fait madame de Châteauroux l'année précédente. Tournehem l'accueillit à Étiolles avec madame Poisson. Le roi et Jeanne-Antoinette avaient choisi ensemble les amis qui pourraient y être reçus : en furent un cousin de la favorite nommé Laurent-René Ferrand, musicien et élève de Couperin, mais aussi le marquis de Gontaut, proche du roi et chargé d'initier la nouvelle favorite aux usages de la Cour. Ce fut aussi le rôle de l'abbé de Bernis que madame d'Étiolles connaissait déjà ; il devint un ami et le resta longtemps. Amant et maîtresse semblent avoir choisi des personnalités complémentaires mais fort diverses : l'autorisation accordée par le roi à la présence de Voltaire à Étiolles est surprenante, car tout les opposait.
C'est pendant cet été à Étiolles que la favorite reçut du roi le premier billet adressé à la "Marquise de Pompadour à Étiolles". Il est daté du 7 juillet ; le 11, Louis XV lui envoya son brevet, confirmation officielle de son anoblissement, en même temps que le vainqueur de Fontenoy annonçait la prise de Gand à celle qu'il aimait.

La marquise de Pompadour

De retour à la Cour, Louis XV fit son entrée solennelle à Paris le 8 septembre et participa à un festin à l'hôtel de ville. Le même souper fut servi à madame de Pompadour, entourée de sa famille, dans un salon aménagé pour elle. Le gouverneur de Paris vint la saluer, et le prévôt des marchands, lui, monta deux fois.

Moins d'une semaine plus tard, le 14 septembre 1745, la nouvelle marquise était présentée, selon le protocole, au roi et à la reine. Pour justifier cette élévation inattendue, une cousine de la favorite bénéficia de la même faveur : autre nièce de Tournehem, madame d'Estrades avait perdu son mari, officier des gardes françaises, durant un combat d'une campagne précédente. L'étiquette de la présentation exigeait une introductrice, et pour une maîtresse en titre ce devait être une princesse du sang. Le fief de Pompadour avait été légué au prince de Bourbon-Conti en 1726. Sa veuve, née Bourbon-Condé, dut céder à la demande du roi. Louis XV reçut brièvement dans le cabinet du conseil sa favorite avec laquelle il avait soupé la veille, en tête à tête. La reine fit bon accueil à la marquise de Pompadour et lui parla de madame de Saissac que Jeanne-Antoinette connaissait depuis l'enfance.

Du petit pied-à-terre qui l'avait brièvement abritée dans ses escapades secrètes à Versailles, madame de Pompadour passa dans l'appartement que la duchesse de Châteauroux s'était fait aménager beaucoup plus somptueusement au deuxième étage. C'est à nouveau à Danielle Gallet qu'il convient d'emprunter l'analyse psychologique de cette nouvelle étape : "Jeanne-Antoinette envisagea sa condition de favorite. Elle s'y était destinée tranquillement et s'y abandonnait sans trouble ni remords. Aurait-elle eu les scrupules d'une Princesse de Clèves, son époque inquiète l'invitait à préférer l'aventure de ce monde à un repos éclairé par la seule attente chrétienne de la mort. En Louis XV, elle reconnaissait l'idéal viril dont son père, son mari et les amants de sa mère ne lui avaient offert que des images imparfaites. Parvenue auprès du roi et si douée pour le bonheur, elle se sentait prête à partager avec lui le fardeau du pouvoir. Avec les richesses, les joies et les honneurs, elle acceptait, sans les mesurer encore, les devoirs, les fatigues et les chagrins. Chez elle, l'oubli de soi-même égalait la capacité de s'assumer." [11] Fine, intelligente, la favorite devenue marquise s'adapta à la vie de la Cour, n'hési-

14 **Hyacinthe Rigaud** (1659-1743)
Louis XV en costume du sacre (détail)
Huile sur toile - H 1,89 m ; L 1,35 m
Versailles, musée national des châteaux de Versailles
et de Trianon - Inv. M.V. 3695

tant pas toutefois à garder dans l'intimité et pendant un certain
temps des habitudes et un langage peu pratiqués dans "ce pays-ci",
expression utilisée par les courtisans pour désigner le lieu où ils
avaient le privilège de vivre.

Fine, intelligente et amoureuse, la marquise découvrit et sut
s'adapter à la personnalité complexe de son amant. Orphelin à
deux ans, roi à cinq, il ne connut la tendresse qu'avec sa gouver-
nante, la duchesse de Ventadour. Celle-ci avait décelé très vite
le double aspect de la personnalité de l'enfant. Elle avait pris
conscience de l'alternance régulière entre l'entrain qu'il se devait
de manifester en public et une mélancolie que développait sa
solitude, accentuant ainsi son penchant vers la neurasthénie.
Le jeune roi **(14)** était aussi timide ; madame de Ventadour écrivait :
"Très joli tout seul ; devant le monde, sérieux… Je veux l'accou-
tumer à parler mais on y a bien de la peine." [12] Pour cacher cette
tendance et sa timidité, Louis XV développa un goût du secret et
un souci de dissimulation.

La vie à la Cour imposait à Louis XV d'être en constante représentation sous les yeux de presque inconnus attendant tout de lui.
Il cherchait détente et réconfort en s'entourant de visages familiers
qu'il réunissait dans ses petits appartements. Il échappait là, et
parmi eux, à l'ennui croissant de la monotonie rituelle imposée
par l'étiquette ; aussi vite que celle-ci l'y autorisait, le roi se retirait
et retrouvait dans ses appartements une vie familière, sinon
familiale. La plupart des personnes conviées avaient déjà partagé

avec lui sa journée en chassant. La chasse était la passion dominante du roi et apportait l'exercice physique nécessaire à cet homme bien bâti, que ses contemporains trouvaient beau et admiraient.

Les réunions des petits appartements étaient, depuis mesdames de Vintimille et de Châteauroux, présidées par la maîtresse en titre. Madame de Pompadour en prit la suite et s'attacha à y régner en distrayant le roi. Sans renouveler le cercle des chasseurs, elle l'agrandit en y introduisant des gens d'esprit et de culture, comme ses amis le président Hénault et l'abbé de Bernis.

La favorite sut surtout tranquilliser l'anxiété permanente de son amant et le valoriser à ses propres yeux. Amoureuse du roi, madame de Pompadour réussit très longtemps à lui dissimuler le peu de plaisir qu'elle éprouvait, selon ses aveux, à partager la couche royale. Pour compenser les frustrations physiques et maintenir sa séduction, elle apprit à le divertir par des créations artistiques mettant en valeur ses talents personnels. Elle établit à ces fins le théâtre des petits cabinets **(15 et 16)** où jouaient autour d'elle des compagnons du roi ayant déjà fait leurs preuves sur

15 Anonyme (France v. 1750)
Danseuse sur une scène
Plume et aquarelle - H 0,350 m ; L 0,275 m
Paris, bibliothèque de l'Opéra, Rés. D216 05,
fol. 2.

16 Anonyme (France v. 1750)
Costume pour Alzire, *ou les*
Américains, tragédie de Voltaire.
Pièce représentée dans le théâtre
des petits cabinets en 1750 devant
l'auteur, madame de Pompadour
ayant le rôle titre
Plume et aquarelle - H 0,255 m ; L 0,320 m
Paris, bibliothèque de l'Opéra, Rés. D216 05,
fol. 16.

scène. Le duc de La Vallière – le vendeur de Choisy – prit la tête de cette troupe où figurèrent, entre autres, les ducs de Duras et de Nivernais qui avaient déjà paru en scène aux côtés de madame d'Étiolles. Une petite galerie proche du Cabinet des médailles fut aménagée. En janvier 1747, une représentation de *Tartuffe* inaugurait ces spectacles. N'y étaient admis, outre les acteurs de la troupe, que quinze invités du roi. Suivirent des comédies, des petits opéras écrits pour la circonstance – comme *Erigone* de Mondonville, qui fut rejoué devant la reine et la famille royale, madame de Pompadour chantant le rôle principal – et des divertissements mêlant chant et danse. La marquise se montrait, à chaque représentation, exquise comédienne, cantatrice savante et ravissante danseuse. Louis XV était totalement sous le charme de madame de Pompadour. Il le resta longtemps.

Pendant que la Cour séjournait à Fontainebleau, Tournehem – depuis peu directeur des Bâtiments – fit construire un nouveau théâtre, mobile car démontable, qu'on installait temporairement dans l'escalier des Ambassadeurs. Il pouvait accueillir une quarantaine d'invités et autant de musiciens. Il fut inauguré,

américaine   américain

17 Joseph Aved (1702-1766)
Jean-Philippe Rameau
Huile sur toile - H 1,50 m ; L 0,97 m
Dijon, musée des Beaux-Arts - Inv. 175

18 Maurice-Quentin Delatour
*Philibert Orry, contrôleur général des Finances
et directeur des Bâtiments du roi*
Pastel sur papier gris-bleu - H 1,245 m ; L 0,580 m
Paris, musée du Louvre, département des Arts graphiques
Inv. 27613

le 27 novembre 1748, avec *Les Surprises de l'Amour* de Rameau **(17)**
sur un texte de Moncrif, lecteur de la reine, et de Gentil-Bernard,
bibliothécaire du château de Choisy. Le théâtre des petits cabinets
disparut à la fin de la saison 1750. Ces divertissements avaient
certes distrait le roi, mais lui avaient coûté très cher.
Parallèlement au théâtre, la marquise maintenait l'intérêt du roi
en lui proposant de nouvelles distractions. La nomination de
Tournehem à la tête des Bâtiments du roi l'incita à construire :
Louis XV était lui aussi passionné par l'architecture. Après avoir
fait réaménager le château de Choisy où le roi lui avait fait
découvrir ses amis proches, elle y fit construire un domaine
personnel, le petit Choisy. Madame de Pompadour acheta le
domaine de Crécy, entre Chartres et Dreux. Elle y recevait son
amant dans un lieu et une région inconnus ; énorme avantage
pour le chasseur, Crécy était entouré de forêts. Sous le prétexte
de lui faire découvrir la construction navale et la flotte française,
madame de Pompadour entraîna, en 1749, Louis XV de Crécy
jusqu'au Havre – et cela sans la reine.

Sous son influence, le roi se sentait bien. Ses contemporains le trouvaient changé à son avantage : on constatait qu'il passait moins de temps à chasser et beaucoup plus au suivi du gouvernement. Bien portant, il était moins mélancolique, plus détendu, plus attentif à ceux qui l'entouraient, comme réconcilié avec lui-même. Si le roi allait mieux, madame de Pompadour révélait une santé fragile. Le soin permanent qu'elle mettait à tout suivre, la tension constante que lui imposait la vie de Cour la rendaient fragile. Avec beaucoup de délicatesse, elle avait su se concilier la reine, mais le dauphin lui menait la vie dure à la tête du "parti dévot". Cette opposition n'allait se concrétiser qu'en 1750, année sainte marquée à la Cour par les célébrations religieuses du Jubilé. Depuis son commencement, la liaison publique du roi et de la favorite rendait pour eux difficiles le temps de carême et leur participation aux Pâques.

1748 et 1749 furent encore pour le roi et madame de Pompadour des années heureuses. Ils étaient profondément attachés l'un à l'autre et n'hésitaient pas à paraître publiquement côte à côte.

Pourtant leurs relations de couple évoluaient peu à peu. La santé de la marquise se dégradait, et elle maigrissait beaucoup. À la fatigue de sa vie quotidienne s'ajoutaient des troubles féminins. Madame de Pompadour avait fort conscience des risques qu'elle courait en cessant de retenir le roi et elle aurait usé d'aphrodisiaques pour tenter de dissimuler ce qu'on appellerait aujourd'hui sa frigidité. Sa femme de chambre, madame de Hausset, le rapporta plus tard et dit comment la duchesse de Brancas – dame d'honneur de Mesdames filles du roi, et néanmoins très liée avec la marquise – mit fin à ces pratiques.

Cependant, la ferveur de Louis XV pour la marquise semblait progressivement s'atténuer, tandis que se répandait partout le montant – parfois fort exagéré – des dépenses faites par ou pour la favorite. L'opinion publique était alimentée en rumeurs par les hommes politiques auxquels madame de Pompadour s'opposait. Dès 1745, elle avait fait chasser Philibert Orry **(18)** qui cumulait les charges de contrôleur général des Finances et de directeur général des Bâtiments du roi : la raison de son renvoi était son opposition au montant d'un marché de subsistances réclamé par Pâris Duverney et Pâris de Montmartel, si proches de la favorite. Celle-ci contribua à faire nommer Machault d'Arnouville à la place d'Orry comme contrôleur général et obtint que la direction des Bâtiments soit donnée à son oncle et éducateur, Tournehem (6). Il était déjà prévu que le jeune frère de Jeanne-Antoinette, Abel Poisson (33) – futur marquis de Vandières, puis de Marigny et enfin de Ménars, quand il hérita de ce château à la mort de sa sœur –, succéderait dans cette fonction à Tournehem, qui mourut en 1751.

À la fin de 1749, madame de Pompadour obtint du roi l'appartement du duc et de la duchesse de Penthièvre, situé au rez-de-chaussée. Comme il était encore relié à l'appartement privé du roi, "Mesdames filles" auraient souhaité l'avoir, mais leur père donna priorité à sa favorite.

En s'installant dans son nouvel appartement au rez-de-chaussée, madame de Pompadour put loger dans un cabinet d'entresol un médecin dont elle avait de plus en plus besoin. Elle choisit François Quesnay, aujourd'hui plus connu comme économiste et fondateur de la physiocratie. Ce choix permit à la marquise de renouer avec nombre d'intellectuels qu'elle voyait moins depuis son installation à la Cour. Futur collaborateur de l'*Encyclopédie,* Quesnay recevait savants et philosophes dans l'entresol où elle le logeait alors qu'elle commençait à penser à la conception du portrait déjà demandé à Delatour. La favorite put ainsi renouer avec d'Alembert (19), Buffon, Diderot (20) – leurs ouvrages illustrent son portrait – ainsi qu'avec Helvétius et Turgot. Ne pouvant les recevoir publiquement dans son salon, elle montait discuter avec eux dans l'entresol de son médecin.

Madame de Pompadour était soignée, mais la Cour se montrait maintenant attentive aux moindres signes d'irritation ou de dysharmonie qui échappaient parfois au couple.

L'installation de madame de Pompadour dans son nouvel appartement révélait l'évolution de leurs rapports peu à peu remodelés : la maîtresse devenait l'amie et la conseillère. Toujours amoureuse du roi, elle ambitionnait pour lui une transformation : une ouverture au monde nouveau qui se créait à Paris. La Cour s'en tenait à l'écart, figée dans son étiquette et ses principes. C'est cette ouverture que madame de Pompadour chargea Delatour de signifier et de faire comprendre.

19 Maurice-Quentin Delatour
Jean Le Rond d'Alembert
Pastel sur papier gris-bleu tendu sur châssis
entoilé - H 0,557 m ; L 0,463 m
Paris, musée du Louvre, département
des Arts graphiques - Inv. R.F. 3893

20 Louis-Michel Vanloo (1707-1771)
Denis Diderot
Pierre noire avec rehauts de craie blanche,
sur papier beige - H 0,229 m ; L 0,195 m
Paris, musée du Louvre, département
des Arts graphiques - Inv. R.F. 35887

Préambules au portrait :
sa lente élaboration et sa datation

Madame d'Étiolles était célébrée à Paris pour sa séduction liée à sa beauté et à son esprit. Pourtant aucun portrait d'elle, quand elle portait ce nom, ne paraît avoir été mentionné.

Jean-Marc Nattier peignit à Fontainebleau à l'automne de 1746 le premier portrait aujourd'hui connu de la marquise de Pompadour. On l'y voit costumée en Diane (21) ; c'était la saison de la chasse, et l'allusion à la distraction préférée du roi est claire. Ce portrait est cité dans des documents anciens[13], et les gravures qu'en avaient faites Louis-Jacques Cathelin et Pierre-Adrien Le Beau ont permis de l'identifier quand il réapparut sur le marché de l'art en 1970[14].

Madame de Pompadour connaissait le talent de Nattier car elle avait vu les portraits qu'il avait peints de ses amies, madame Geoffrin et la marquise de La Ferté-Imbault, sa fille[15].

Le portraitiste ayant été chargé de peindre, en 1747-1748, les trois plus jeunes filles du roi, "Mesdames Cadettes", juste avant qu'il ne peignît la reine[16], Nattier se trouva dorénavant écarté de l'entourage immédiat de la favorite. Il data pourtant de 1748 une reprise de petites dimensions du visage de la favorite tel qu'il l'avait tracé à Fontainebleau deux ans auparavant (22).

Ne pouvant faire à nouveau appel à Nattier, la marquise choisit alors Maurice-Quentin Delatour.

21 Jean-Marc Nattier (1685-1766)
*La Marquise de Pompadour
en Diane* 1746
Huile sur toile - H 1,003 m ; L 0,806 m
Collection particulière

22 Jean-Marc Nattier
*Buste de la marquise
de Pompadour en Diane* 1748
Huile sur toile - H 0,53 m ; L 0,43 m
Saint-Omer, musée de l'hôtel Sandelin
Inv. 179 C.M.

Maurice-Quentin Delatour

Le plus remarquable des pastellistes français du XVIIIe siècle naquit à Saint-Quentin le 5 septembre 1704 et mourut dans sa ville natale dans la nuit du 16 au 17 février 1788. Il était le petit-fils de Jean Delatour, né à Laon vers 1640, où il fut reçu maître maçon en 1671. Venu travailler à Saint-Quentin pour réparer la collégiale endommagée par un incendie en 1669, il y amena son fils François, père de Maurice-Quentin. D'abord soldat et trompette dans le régiment des carabiniers du duc de Maine, le père du pastelliste revint à Saint-Quentin exercer la fonction d'ingénieur-géographe, tout en étant aussi chantre à la collégiale. L'ingénieur-géographe dessinait, et son fils le copiait.

Pas plus que Watteau n'en avait trouvé à Valenciennes, Delatour ne trouva de maître capable de le former au dessin et à la peinture dans sa ville natale. Pierre-Jean Mariette indique dans la notice de son *Abecedario* consacrée à l'artiste "qu'un élève du peintre [Guy-Louis] Vernansal apporta à Saint-Quentin des académies que ce maître avoit dessinées. Il les dévoroit des yeux et brûloit du désir d'en faire autant. Ce n'étoit pas là, cependant, l'intention de son père… le fils, qui alors comptoit à peine quinze ans, prit la résolution de quitter la maison paternelle et alla se réfugier à Paris… Il avoit lu sur des estampes le nom de [Nicolas-Henri] Tardieu le graveur ; il lui écrit, lui demande aide et conseil, et Tardieu lui répond qu'il peut se mettre en chemin et le venir trouver. Il imaginoit que l'intention de La Tour

étoit de faire un graveur. Celui-ci lui déclare, à son arrivée, qu'il veut être peintre. Où le placer ?… Vernansal, chez qui on le conduit, ne lui fait pas un meilleur accueil ; enfin, il trouve entrée chez Spoëde [Jean-Jacques Spoëde, directeur de l'Académie de Saint-Luc], peintre tout à fait médiocre, mais galant homme, et, pendant tout le temps qu'il demeure avec lui, il travaille avec l'ardeur de quelqu'un qui a l'ambition de se distinguer et de percer. Le voilà bientôt en état de reconnoistre la faiblesse des talens de son maître." Il le quitta donc. Mais il faut aussi noter que Delatour se trouvait à Paris quand la pastelliste vénitienne Rosalba Carriera y vécut et y travailla, en 1720-1721.

Le jeune artiste aurait assisté au sacre de Louis XV à Reims en 1722. Il séjourna ensuite à Cambrai où siégeait un congrès diplomatique réuni par le cardinal Dubois et où Voltaire se fit remarquer. Delatour y peignit des portraits et suivit à Londres le représentant de l'Angleterre qui avait remarqué ses talents.

Delatour rentra à Paris en 1727 et y commença modestement sa carrière. Mariette ajoute : "Il s'affiche pour peintre de portraits ; il les faisoit au pastel, y mettoit peu de temps, ne fatiguoit point ses modèles ; on les trouvoit ressemblants ; il n'étoit pas cher. La presse étoit grande ; il devint le peintre banal. Quelques portraits, qu'il fit pour des personnes de la famille du sieur de Boullongne, furent vus par Louis de Boullongne, premier peintre du roy, qui, à travers des défauts, sut y lire ce qu'il y avoit de bon, c'est-à-dire ce tact et ce don de la nature qui saisit du premier coup les traits d'un visage et s'assure de la ressemblance. Il demanda à voir l'artiste ; il l'encouragea. Vous ne sçavez ni peindre ni dessiner, lui dit-il ; mais vous possédez un talent qui peut vous mener loin ; venez me voir. La mort de celui qui lui parloit avec tant de franchise et de bonté, arrivée en 1733, le priva du secours qu'il devoit s'en promettre. Il ne chercha plus de ressources que dans lui-même, et, redoublant d'efforts, il arriva bientôt au point de perfection qu'il se proposoit depuis longtemps. Ses succès, car il joissoit alors de toute sa réputation, l'engagèrent à se présenter à l'Académie royale de peinture pour y être reçu ; il y fut admis en 1744 [en fait le 24 septembre 1746] avec distinction, et peu d'années après, en 1751, il monta au rang de conseiller, qui est le grade le plus honorable auquel puisse prétendre un peintre de portraits. Depuis cette époque, il ne s'est pas fait d'exposition au Salon du Louvre, qui n'ait fait voir de nouveaux chefs-d'œuvre de sa façon." [17]

Curieusement, Mariette ne cite pas le nom de Jean Restout qui fut son ami et conseiller : Delatour en fit un premier portrait dès 1738, avant d'en présenter un deuxième comme morceau de réception à l'Académie en 1746. Le règlement de l'Académie voulait que les portraitistes présentent deux œuvres pour leur réception : la seconde fut le portrait de

23 Maurice-Quentin Delatour
Autoportrait v. 1740
Paris, musée du Louvre, département des Arts graphiques
Inv. 27622

24 Maurice-Quentin Delatour
Préparation pour l'autoportrait v. 1740
Paris, musée du Louvre, département des Arts graphiques
Inv. R.F. 4098

Jacques Dumont le Romain. Toutes deux sont aujourd'hui conservées au Louvre [19]. Ces portraits présentent de fort regrettables traces des retouches que Delatour leur fit subir vers 1765. Jamais satisfait de ce qu'il avait fait, il demanda alors à l'Académie de le reprendre pour les retravailler : voulant les améliorer, il les détériora.

Selon l'usage, Delatour avait été agréé par l'Académie royale en 1737 et put donc paraître au Salon dès cette année-là. Il y exposa, à côté d'un portrait de la femme de François Boucher, l'*Autoportrait "qui rit"*. Est reproduit ici un autre autoportrait (23) provenant de l'Académie royale dont les traits de l'artiste prouvent qu'il fut réalisé peu après 1737 – et certainement plus tôt qu'on ne le date traditionnellement. Avec sa préparation (24), ils sont tous deux aujourd'hui au Louvre (cependant la préparation ne figure pas dans le catalogue des pastels du Louvre). Delatour exposera dorénavant à tous les Salons jusqu'en 1773, sans y paraître toutefois en 1765, 1767 et 1771. Car, à partir de 1765, ce qui paraissait être jusqu'alors une "originalité d'esprit" se transforma en troubles psychiques de plus en plus fréquents.

Il avait pourtant noué une liaison avec une ravissante cantatrice, Marie Fel, qui chanta *Le Devin de village* – pastorale dont Jean-Jacques Rousseau avait écrit texte et musique – devant madame de Pompadour et la Cour à Fontainebleau en 1752. Madame Fel lui resta fidèle malgré l'aggravation de son état.

Considérablement enrichi par les prix exorbitants qu'il exigeait pour ses portraits – il réclama pour celui de madame de Pompadour 48 000 livres or et fut furieux de n'en recevoir que la moitié –, Delatour fut aussi très généreux. À l'imitation du Concours de la Tête d'expression créé par le comte de Caylus en 1760, Delatour dota, en 1776, l'Académie royale de 10 000 livres or pour trois concours : un prix d'anatomie, un prix de perspective et d'architecture et un prix de l'étude d'une tête avec les mains peintes d'après nature sous trois aspects différents. Pour l'Académie d'Amiens dont il était membre, il fonda un prix annuel de 500 livres destiné à récompenser un Picard, auteur d'une belle action d'humanité ou d'une découverte utile soit à la santé publique, soit à l'agriculture, soit aux arts et au commerce [20]. Pour sa ville natale, il créa des fondations destinées à aider les femmes en couches, les artisans hors d'état de gagner leur vie et les vieillards infirmes. En 1782, il y établit une École royale gratuite de dessin pour remédier aux difficultés qu'il avait connues dans sa jeunesse. En 1784, Maurice-Quentin Delatour se retira définitivement à Saint-Quentin où il mourut quatre ans plus tard.

Nous avons choisi de reprendre l'orthographe originale de son acte de naissance. Très souvent appelé au XVIIIe siècle La Tour, comme si son nom avait été précédé d'une particule, l'artiste refusa l'Ordre de Saint-Michel que lui offrait Louis XV et qui l'aurait anobli.

Le pastelliste avait exposé au Salon de 1748 les portraits du roi **(25)**
et de la reine **(26)**. La favorite avait probablement vu l'artiste tracer
sa "préparation" du portrait du roi. Delatour avait dû venir à
Versailles pour y saisir les traits et l'expression de Louis XV
avant d'achever son portrait dans l'atelier du Louvre qu'il occu-
pait depuis 1745. Au même Salon, Delatour avait présenté les
portraits d'autres proches de la marquise : le maréchal de Saxe **(12)**
et le comte de Sassenage. Celui de ce dernier fut payé à Delatour
en 1750 avec ceux de deux autres intimes du roi, le duc d'Ayen
et le chevalier de Montaigu[21]. Les liens de l'entourage du roi et
de la favorite avec Delatour étaient donc bien établis dès 1748
– et il faut ajouter que l'artiste avait déjà exposé au Salon de 1746
le portrait de Pâris de Montmartel et, en 1747, celui de la troisième
madame de Montmartel, née Armande de Béthune-Sully ;
ce mariage était l'œuvre de madame de Pompadour.

C'est vraisemblablement chez le président de Rieux que madame
de Pompadour avait rencontré Delatour.

25 Maurice-Quentin Delatour
Louis XV 1748
Pastel sur deux feuilles de papier gris-bleu, collé en plein
sur une toile tendue sur châssis - H 0,680 m ; L 0,574.m
Paris, musée du Louvre, département des Arts graphiques
Inv. 27615

26 Maurice-Quentin Delatour
La Reine Marie Leczinska 1748
Pastel sur papier gris-beige, collé en plein sur une toile tendue
sur châssis - H 0,645 m ; L 0,540 m
Paris, musée du Louvre, département des Arts graphiques
Inv. 27618

Le président de Rieux

Delatour exposa au Salon de 1741 ce portrait (27). Malgré – et à cause de – ses dimensions (le portrait du président de Rieux est, de peu, plus grand que celui de la marquise de Pompadour), il était resté presque ignoré jusqu'à aujourd'hui. Conservé pendant près de deux siècles chez les descendants du modèle, il ne fut publié, sous forme de plaquette, qu'en 1919, après son acquisition par un grand marchand, alors parisien, Georges Wildenstein[22]. Puis, devenu propriété du baron Maurice de Rothschild, il quitta la France et resta en Suisse jusqu'en 1994, sans jamais avoir figuré dans une exposition publique. Proposé au Louvre, il ne put être acheté. Il entra dans les collections du J. Paul Getty Museum à Los Angeles ; cette œuvre capitale y est peu à

27 Maurice-Quentin Delatour
Portrait du président Gabriel Bernard de Rieux v. 1739-1741
Pastel sur un assemblage de papiers gris-bleu, marouflé sur toile tendue sur châssis - H 2,10 m ; L 1,51 m
Los Angeles, The J. Paul Getty Museum - Inv. 94.PC.39

peu entourée d'autres pastels dont ce musée cherche à former une collection significative.

Gabriel Bernard de Rieux était le deuxième fils du très riche financier Samuel Bernard qui acheta pour lui une seigneurie languedocienne. Gabriel en prit le nom et fut appelé comte de Rieux. Il fit toute sa carrière au parlement de Paris avant d'acquérir la charge de président de la deuxième chambre des enquêtes. C'est dans le costume d'apparat de cette charge que Delatour l'a peint. Portrait d'apparat, mais placé dans l'intimité d'un cabinet de travail. Les liens avec celui de madame de Pompadour sont évidents. Comme dans le portrait de la marquise, des livres sont placés, à gauche ici, sur une table, mais leurs titres sont illisibles.

L'intensité du noir de la robe, la simarre, et du rouge du manteau du parlementaire s'oppose à l'éclat de la soie de la robe de la favorite et à son tissage mêlant ors et fleurs (35). Les manchettes du magistrat (28) sont aussi précisément décrites que la dentelle des "engageantes" portées par madame de Pompadour (29). C'est dans le cuir du paravent dressé derrière le président qu'a trouvé refuge l'harmonie des nuances de couleurs contrastant avec le noir et le rouge. Le tapis d'Orient est ici plus précisément décrit que celui de la manufacture des Gobelins aux pieds de la marquise, mais l'un et l'autre jouent le même rôle dans le prolongement des effets de couleurs. Le parlementaire tient aussi un ouvrage ouvert dans ses mains ; les dimensions de ce volume ne paraissent pourtant pas être celles d'un recueil de droit. Madame de Pompadour a en main une partition et affiche ainsi clairement son goût, et son talent, pour la musique et le chant.

Elle put revoir aisément ce portrait – le président était voisin de la marquise – quand elle venait brièvement séjourner à Paris, avant d'acheter l'hôtel d'Évreux, actuel palais de l'Élysée. Elle s'en inspira pour le sien que Delatour réalisa difficilement, de 1748 à 1754, au milieu de multiples interventions de la favorite, dont la situation évoluait.

28 Maurice-Quentin Delatour
Le Président Gabriel Bernard de Rieux
Les mains et les manchettes (détail)

29 Maurice-Quentin Delatour
Portrait de la marquise de Pompadour
Les "engageantes" de la manche et la main gauche (détail)

Le portrait

Choisir Delatour fut en effet facile pour la marquise, mais obtenir de lui le portrait qu'elle souhaitait tint de la gageure.

Bien des difficultés ne manquèrent pas de naître entre la volonté de la marquise et le caractère difficile, à la fois orgueilleux et vétilleux, d'un artiste foncièrement personnel – et aussi très intéressé.

Il est vraisemblable que Delatour envisagea d'abord un portrait de madame de Pompadour en buste, sur le modèle de ceux du roi, de la reine (25 et 26) et du dauphin. La première des trois "préparations" (3) du musée de Saint-Quentin pourrait avoir été faite alors, avant que l'artiste ne la reprît et la retouchât excessivement : la marquise y paraît plus jeune, le cou et le visage plus affinés.

C'est par une allusion dans une lettre à son frère, Abel Poisson de Vandières, que la marquise a fourni une première indication sur ses rapports difficiles avec Delatour. Alors que le futur directeur des Bâtiments effectuait son "grand tour" en Italie, accompagné de l'abbé Le Blanc et de Cochin le fils, sa sœur lui écrit en mai 1750 à Turin : "Il n'y a plus de ressources auprès de Latour, sa folie augmente à chaque instant." [23]

La marquise aurait souhaité en effet que son frère emportât un portrait d'elle – vraisemblablement celui que Delatour avait à peine entrepris – ainsi qu'une copie du portrait du roi que faisait Carle Vanloo (30) (pour lequel celui-ci s'inspira du buste au pastel (25) exposé par Delatour au Salon de 1748). Madame de Pompadour désirait que celui qui allait devenir bientôt marquis de Vandières puisse montrer, dans les cours et villes d'Italie qu'il allait traverser, une image flatteuse du rôle joué dorénavant par sa sœur au côté du roi.

La correspondance de la marquise de Pompadour avec son frère informe assez précisément de l'évolution de ce projet. Dans une première lettre, elle écrit le 1er mars 1750 : "Je me garderai bien de vous envoyer mes portraits de Liotard, mais je vais vous envoyer la copie d'un fait par Boucher, qui est charmant et qu'il finira sur moi, j'espère que vous l'aurez à Pâques… attendu que je crois le grand portrait plus pressé pour l'usage que vous en voulez faire. Celui du Roy n'est pas encore fini, car j'attends celui de Vanloo, qui, j'espère, sera bien. Je compte qu'il ne tardera pas plus de quinze jours." [24] Le 16 mars, elle écrit : "J'espère vous

30 Carle Vanloo (1705-1765)
Louis XV
Huile sur toile - H 2,36 m ; L 1,95 m
Versailles, musée national des châteaux de Versailles
et de Trianon - Inv. M.V. 3751

envoyer d'ici à quinze jours les portraits"[25] ; le 12 avril, elle indique : "Le portrait de Vanloo n'est pas encore fait ni la copie du mien [vraisemblablement celui de Boucher] ; d'abord qu'ils le seront je ne perdrai pas de temps à vous les envoyer."[26] La lettre suivante est non datée, mais Vandières la reçut à Rome le 19 mai 1750 : "Les portraits ne sont pas encore faits, mais il ne passera pas quinze jours sans qu'il en parte au moins un."[27] Le 26 avril, elle précise : "Je vous envoye enfin la copie de mon portrait de Boucher ; elle ressemble beaucoup à l'original, peu à moi ; cependant assez agréable. Je fais copier celui de Liotard, je ne sais s'il sera possible d'en rien faire de bien."[28] La lettre suivante non datée fut reçue par Vandières le 6 juin 1750 à Turin : "Mon tableau vous est sûrement parvenu, mon cher frère ; ainsi il n'y a plus d'impatience que pour celui du Roy… Bonsoir, cher frère ; le portrait de Vanloo n'est pas fini, il a eu la rougeole chez lui. M. de T. [Tournehem] n'a pas osé le voir pour lui donner ses avis"[29] ; celle qui suivit fut reçue à Turin le 13 juin 1750 : "Je suis fort aise que vous soyez content de mes portraits ; on les a trouvés ici très-jolis, mais peu ressemblans. Quoi qu'il en soit, comme c'est le moins mal qu'il y ait, je vous l'ai envoyé"[30] – et c'est là qu'elle ajoute : "Il n'y a plus de ressource auprès de Latour, sa folie augmente à chaque instant." Dans une lettre reçue à Gênes le 13 juillet 1750, elle écrit : "J'y joins le premier original de Boucher, qu'il a retouché d'après moi et qui est mieux que la copie que je vous avois envoyée à Rome…"[31] et dans celle qu'il reçoit à Rome le 12 août : "J'attends toujours le portrait de Vanloo ; j'espère pourtant qu'il va finir ; je vous envoirai copie aussitôt."[32] Le 23 août, elle indique : "Je vous envoirai incessamment un portrait du Roy, de Vanloo, dont il me fait une copie pour vous ; il est ravissant de beauté et de ressemblance, enfin, en voilà un."[33] La dernière allusion à ces portraits paraît dans une lettre, toujours adressée à son frère, datée de Fontainebleau le 11 octobre 1750 : "J'aime mieux avoir bientôt le portrait du Roy, et n'avoir que la teste, que de l'attendre deux ans aussi donnez vos ordres en conséquence."[34]

Un spécialiste de Boucher a très judicieusement cru pouvoir reconnaître les deux versions des portraits mentionnés dans ces lettres dans deux esquisses[35]. Toutes deux (31 et 32) présentent madame de Pompadour dans la même attitude et dans une même pièce où se dresse une imposante bibliothèque. Les robes sont proches, et, dans chacun de ces portraits, le modèle porte une collerette plissée, une ruche. Un détail significatif les oppose pourtant : dans l'un, la marquise est debout la main posée sur une table de toilette, et ce souci de coquetterie – exagérément souligné par Boucher – permet de supposer que cette première version aurait été repoussée par le modèle. Dans l'autre, on la voit la main appuyée sur le clavier d'un clavecin, et il est clair que cette apparence lui sembla préférable à la première.

Un troisième portrait par Boucher fut cité lors d'une exposition à Paris en 1860. Madame de Pompadour y était décrite "vêtue d'une robe de soie jaune ouverte au corsage, avec un bouquet sur le sein, debout devant un chevalet, et la main appuyée sur un carton à dessin, elle se retourne pour regarder un buste posé à sa droite sur une table"[36]. Ce portrait n'a pas réapparu. Il pourrait avoir été l'œuvre achevée que la favorite désirait faire peindre pour que Vandières puisse faire connaître ses traits en Italie. Ce portrait devait être accompagné de celui du roi que Carle Vanloo (30) n'eut pas le temps d'achever avant le retour de Vandières en France.

31 **François Boucher** (1703-1770)
Madame de Pompadour,
la main sur une table de toilette
1750 ?
Huile sur toile sur esquisse à la pierre noire
et papier marouflé sur toile
H 0,668 m ; L 0,440 m
Waddesdon Manor, Rothschild Collection
(Rothschild Family Trust)

32 **François Boucher**
Madame de Pompadour,
la main sur le clavier du clavecin
1750 ?
Huile sur papier marouflé sur toile
H 0,609 m ; L 0,455 m
Paris, musée du Louvre, département
des Peintures - Inv. R.F. 2142

Les deux esquisses de Boucher conservées **(31 et 32)** et la description de l'œuvre disparue prouvent en effet que madame de Pompadour lui avait confié les grandes lignes du programme donné à Delatour. Désespérée de voir que ce dernier ne pourrait achever à temps le portrait demandé, la marquise se tourna vers Boucher. Elle comptait obtenir de lui et dans l'urgence satisfaction rapide de ses désirs. Boucher fit vite – la première des esquisses laisse encore apparaître les traits de crayon de la mise en place –, mais ne sut pas vraiment traiter le programme. Il évoqua trop rapidement et trop superficiellement les livres, la musique et les arts et se révéla ainsi incapable de donner satisfaction complète à sa commanditaire, au moment même où la relation qu'elle entretenait avec le roi évoluait. La marquise dut renouer avec Delatour.

Elle chargea son frère **(33)**, devenu directeur des Bâtiments à son retour d'Italie, d'intervenir auprès du pastelliste. Vandières écrivit à Delatour le 26 février 1752 : "Ma sœur voudroit sçavoir, monsieur, dans quel temps vous comptés faire son portrait. Je me suis chargé de vous en écrire ; vous me ferez le plaisir de me le mander par votre réponse, que j'attendrai demain, et que je pourrai recevoir de bonne heure, si vous voulés bien me le faire tenir par la voye des voitures de Versailles…"
À cette demande pressante, le peintre ne répondit que quatre mois plus tard, le 13 juillet 1752 : "J'ai mille remerciements à vous faire… sur ce que vous avez bien voulu répondre de mon zèle à Mme la marquise de Pompadour. Il est tel que je partirois sur le champ, si les portraits n'avoient grand besoin d'être préparés icy pour réparer le dommage qu'ils ont souffert **(3 et 4)** ; je ne sçais le temps qu'il me faudra parce que le chagrin que j'en ay eu m'a furieusement dérangé la cervelle, mais vous pouvez compter que je feray tous mes efforts pour me haster."
Vandières adressa à "Monsieur De La Tour, peintre de l'Academie, aux Galleries du Louvre" une autre lettre, datée de Compiègne, le 24 juillet 1752. "Lorsque je reçus votre lettre du 11 de ce mois [vraisemblablement celle datée du 13, citée ci-dessus], Monsieur, je la communiquai à ma sœur… Elle me dit de vous écrire pour savoir déterminément si vous voulés venir ou non, et je l'eusse déjà fait si je n'en avois trouvé l'interprétation désirée dans une lettre à M. Gabriel. Quoy, monsieur, vous lui faites part du chagrin que vous avés des accidens arrivés en conséquence aux deux portraits

33 Louis Tocqué (1696-1772)
Portrait du marquis de Vandières et de Marigny 1755
Huile sur toile - H 1,35 m ; L 1,04 m
Versailles, musée national des châteaux de Versailles et de Trianon - Inv. M.V. 3376

de ma sœur, et vous ajoutez que j'en suis la cause innocente ! Pour innocente, cela est très certain, mais expliquez-moy, je vous prie, en quoi j'ai pu en être la cause ?… Ma sœur peut-elle compter d'être peinte par vous ? Elle est impatiente de vous voir finir son portrait. Faites honneur aux sentiments dont vous faites profession en venant au plus tôt terminer ce portrait pour la satisfaction de ma sœur à qui vous devés de la reconnaissance, et pour celle de son frère, à qui vous deviés plus d'amitié…"[37]

Ces échanges de lettres apportent une précision jusqu'ici non relevée. La lettre adressée à l'artiste par Vandières, de Compiègne, lui proposait de venir achever sur place le portrait entrepris. Le directeur des Bâtiments jugeait que, le séjour de la Cour à Compiègne étant son repos estival, le modèle aurait le temps de poser. Serait-ce là que Delatour réalisa la troisième préparation,

apparemment la dernière puisque jamais retouchée par l'artiste (5) ?
La lettre de l'artiste à Vandières mentionnait les dommages
survenus à ses deux premières tentatives.

Le temps passé par Delatour à la réalisation de ce portrait ne
permet pas de préciser où et quand eut lieu un épisode, cité
d'abord dans l'*Almanach littéraire* de 1792, puis joliment narré
par Jean-René Durdent, avant d'être mis en scène[38].
"Mandé pour faire le portrait de Mme de Pompadour, Delatour
répondit brusquement : 'Dites à Madame que je ne vais pas
peindre en ville.' Un de ses amis lui fit observer que le procédé
n'était pas très honnête. Ayant enfin trouvé un point d'accord
avec son modèle, il promit de se rendre à la Cour le jour fixé ;
mais à condition que la séance ne serait interrompue par personne.
Arrivé chez la favorite, il réitère ses conditions et demande la
liberté de se mettre à l'aise ; elle lui est accordée. Tout à coup, il
détache les boucles de ses escarpins, ses jarretières, son col, enlève
sa perruque qu'il accroche à une girandole, tire de sa poche un
petit bonnet de taffetas et le met sur sa tête. Dans ce déshabillé
pittoresque, le peintre se met à l'ouvrage ; mais à peine a-t-il
commencé son portrait que Louis XV entre dans l'appartement.
La Tour dit, en ôtant son bonnet : 'Vous m'aviez promis,
Madame, que votre porte serait fermée !' Le roi rit du reproche
et du costume de l'artiste, et l'engage à continuer. 'Il n'est pas
possible d'obéir à Votre Majesté, je reviendrai quand Madame
sera seule !' Il emporte perruque, col, jarretières, souliers et
chapeau et va s'habiller dans une autre pièce en répétant plusieurs
fois : 'Je n'aime point à être interrompu.' La favorite céda aux
caprices de son peintre, et le portrait fut achevé."[39]

Rares sont parmi les visiteurs du Louvre admirant ce portrait ceux
aujourd'hui capables de le lire comme avaient pu le faire leurs
prédécesseurs venus le découvrir au Salon de 1755. C'est en effet
dans le Salon carré du Louvre que les membres de l'Académie
royale de peinture et de sculpture présentaient, tous les deux ans,
un choix de leurs plus belles créations durant cet intervalle.

La marquise a pris place dans un cabinet dont l'artiste montre les boiseries peintes dans un ton vert-bleu et soulignées d'or. Ce fond s'accorde parfaitement aux multiples couleurs et éclats du pastel. Delatour s'inspira-t-il du grand cabinet qui servait de salon à madame de Pompadour depuis son installation dans l'appartement du rez-de-chaussée ? L'appartement d'en bas, son plan et les travaux qui y furent faits ont été le sujet d'une publication fort précise ; elle ne mentionne toutefois aucune des couleurs choisies pour chacune des pièces [40]. On sait que Vandières voulut faire appeler Delatour à Compiègne pour continuer ce portrait ; le grand cabinet de l'appartement de madame de Pompadour y était orné de lambris vert clair rechampi de blanc. Seules étaient dorées les bordures des miroirs et des tableaux [41]. Le grand paysage encastré dans la boiserie évoque les peintures flamandes qui revenaient à la mode à ce moment. Toutefois, aucune des peintures décrites dans l'inventaire après décès de la marquise n'y paraît correspondre : Delatour a vraisemblablement inventé ce paysage **(34)**.

34 Maurice-Quentin Delatour
Portrait de la marquise de Pompadour
Décor de la pièce où est figurée la marquise de Pompadour (détail)

La marquise de Pompadour est représentée assise. Elle est vêtue d'un spectaculaire costume parfaitement accordé à l'ambition de ce portrait.

Il s'agit d'une robe à la française dont les plis de la jupe et ceux de la robe signalent des paniers séparés, dont la mode n'apparaît que vers 1750, rendant plus facile le port de cette toilette. Le tissu est d'une particulière somptuosité. La matière du pastel ne facilite pas l'identification du tissu. Les spécialistes consultées définissent cette étoffe comme une soierie façonnée dont la légèreté du tombé et le chatoiement semblent indiquer un fond satin. La qualité exceptionnelle de ce tissu aux grands motifs suggère un tissage façonné aux trames brochées. Toutefois, l'ampleur de ce décor et les liens qu'il présente encore avec les étoffes utilisées pour l'ameublement ne permettent pas d'exclure les reliefs d'un lampas. Des rameaux de feuillages stylisés de couleur jaune d'or se prolongent en mouvements ondulés **(35)**. Ils sont rythmés par des groupes de trois fleurettes roses et leurs tiges et feuilles vertes dont le naturel contraste avec la stylisation des ornements dorés. Ils entrelacent un motif plus petit, mais régulièrement répété, aux fleurs de couleurs variées. Les nuances de couleurs s'harmo-

35 Maurice-Quentin Delatour
Portrait de la marquise de Pompadour
Tombé des plis de la robe (détail)

36 Maurice-Quentin Delatour
Portrait de la marquise de Pompadour
L'"échelle de rubans" citée par les Goncourt
(détail)

nisent aux tons des rubans : une "échelle de rubans" garnit le plastron et se substitue à la "pièce d'estomac" dont les Goncourt ont délicatement défini les nuances du taffetas : "le violet pâle est tendre comme le calice d'un pavot lilas" [42] **(36)**. Des manches relevées en "double pagode" s'échappent des "engageantes" : manchettes de trois dentelles très fines et très ornées vraisemblablement au point d'Alençon **(29)**. Sous la jupe de la robe apparaissent des jupons aux volants garnis aussi de dentelles **(35)**. Dans son cabinet, la marquise est chaussée de mules roses. Dernière preuve du raffinement extrême de ce vêtement : une doublure, finition très rare à l'époque, apparaît dans les plis de la jupe et de la robe ainsi que dans les volants de la manche pagode **(35 et 36)**. Delatour n'a pas résisté à la tentation de colorer la doublure du premier de ces volants dans une tonalité rose pour l'harmoniser à la tapisserie fleurie couvrant le dos du fauteuil, alors que partout ailleurs cette doublure est blanche.

La somptuosité de cette "robe de Cour ordinaire" dénote clairement une volonté d'ostentation, tandis que l'absence de tout bijou et la simplicité de la coiffure accentuent le caractère de portrait privé, demandé par la marquise.

La marquise aimait tout particulièrement la musique. Une guitare baroque **(37)** – plutôt qu'une viole de gambe – et une partition posées sur un fauteuil, semblable à celui sur lequel la marquise est assise, suffisent à cette évocation d'un acquis, toujours pratiqué puisqu'elle a en main un autre cahier de musique [43].

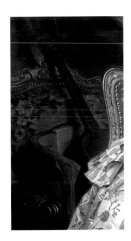

37 Maurice-Quentin Delatour
Portrait de la marquise de Pompadour
La guitare baroque et les recueils de partition (détail)

Delatour fit au moins trois préparations d'après le visage de son modèle pour en étudier les traits, les expressions et la carnation (**3, 4 et 5**). Il sut en préserver le mystère en nimbant d'une aura la délicatesse des traits et l'harmonie du teint.

Delatour fixa, par dessus les différentes feuilles de papier assemblées, celle où il avait dessiné sur le vif, pour la dernière fois, la marquise. Son visage a été modelé et coloré sur une feuille d'environ 50 cm de haut sur 40 cm de large ; sa découpe très irrégulière correspond au haut de la manche droite et aux premiers plis des rubans, vers la gauche. Le raccord entre ces multiples feuilles a contraint l'artiste à allonger l'une des fleurs tissées dans cette soierie alors que les autres sont d'un format régulier. Ce détail établit que Delatour fixa ce fragment sur l'ensemble de la robe déjà dessinée. La marquise dut confier à l'artiste – et pour longtemps – la robe dans laquelle elle avait posé. Ce visage, aux yeux tournés vers l'avenir qu'elle souhaite, se superpose aux différentes feuilles sur lesquelles Delatour avait peu à peu dessiné le cadre, la robe, les objets, instruments et ouvrages qui donnent son sens à ce portrait.

La nature morte : raison de ce portrait

Il convient maintenant d'admirer la nature morte des livres et objets placés sur la grande table dorée. C'est en les choisissant que la marquise de Pompadour révéla le programme précisé peu à peu à Delatour (**38**).

Guarini : *Pastor Fido*

Le premier des livres reliés posés sur la table à la gauche de la marquise a pour titre *Pastor Fido*. Œuvre de Gian Battista Guarini, cette tragi-comédie publiée en 1590 connut un succès ininterrompu jusqu'à la fin du XVIIIᵉ siècle. L'auteur y conte comment l'amour entre deux descendants des dieux mit fin à une malédiction lancée par la chaste Diane sur l'heureux pays des bergers d'Arcadie. Cette contrée de la Grèce mythologique était le lieu où régnait jusqu'alors une douce et harmonieuse vie champêtre, un bonheur dû aux mœurs pures et à la fidélité amoureuse entre les bergers la peuplant. Après *L'Arcadie,* le poème de Jacopo Sannazzaro, la pièce de Guarini développait un genre nouveau : la pastorale. Il allait trouver, dans la peinture française du XVIIIe siècle et autour de madame de Pompadour, ses plus belles images – sinon son originelle pureté.

La marquise aurait-elle choisi elle-même *Pastor Fido* ? Le sujet pourrait le suggérer : une malédiction de Diane imposait de sacrifier un jeune Arcadien. Le prêtre Montano, descendant d'Hercule, souhaite marier son fils Silvio à la nymphe Amaryllis qui a le dieu Pan pour ancêtre. Bien qu'il soit aimé de Dorinda, Silvio ne s'intéresse qu'à la chasse. Amaryllis est, elle, amoureuse

38 Maurice-Quentin Delatour
Portrait de la marquise de Pompadour
Les livres aux titres significatifs posés sur la table (détail)

d'un autre berger, Mirtil, qui partage ses sentiments. Mirtil est désigné comme prochaine victime, mais ce "berger fidèle" se révèle être lui aussi descendant d'Hercule : en épousant Amaryllis, Mirtil met fin à la malédiction de Diane, tandis que Silvio découvre auprès de Dorinda des charmes bien différents de la chasse, jusqu'alors son unique passion.

Le choix du *Pastor Fido* comme le premier des livres significatifs posés à côté de madame de Pompadour est vraisemblablement lié à la passion de la chasse dont Louis XV avait toujours fait preuve.

Le théâtre fut le premier divertissement qu'elle proposa au roi car elle en avait le goût et l'expérience. De plus Guarini traitait dans *Pastor Fido* de la reconnaissance de la noble – divine même – origine du héros, berger fidèle qui échappait au sacrifice et délivrait l'Arcadie de la malédiction pesant sur elle. Faire oublier sa naissance dans la roture et jouer un rôle politique étaient deux des souhaits que madame de Pompadour pouvait laisser entrevoir dans le programme fixé à Maurice-Quentin Delatour. Cette hypothèse émise, le choix de ce premier livre illustre au moins le goût de la marquise pour le théâtre. Six éditions en italien et en français figuraient dans la bibliothèque de la marquise [44].

Voltaire : *La Henriade*

À la droite du *Pastor Fido* est posée sur la table *La Henriade*. Trois éditions différentes de ce poème épique de Voltaire – annoncé dès 1723 sous le titre plus éloquent de *La Ligue ou Henry Le Grand* – figurent dans le *Catalogue...* [45] Quand la favorite commença à demander à Delatour son portrait au pastel, elle était encore très liée à Voltaire.

En exil à Cirey depuis la publication des *Lettres philosophiques* en 1734, l'écrivain ne put, semble-t-il, faire la connaissance de madame d'Étiolles avant 1742. Ils se rencontrèrent vraisemblablement dans un des "salons d'esprit" dont la jeune femme faisait peu à peu la conquête. Elle sut très vite intéresser le philosophe – au moins aussi ambitieux qu'elle. Elle imposa au roi – on l'a vu – la présence de Voltaire à ses côtés à Étiolles où elle s'était retirée, en 1745, pendant que Louis XV participait à la campagne des Flandres. Le philosophe était pourtant fort peu apprécié du souverain.

Le choix de *La Henriade* est révélateur : en lui offrant la célébration d'un ancêtre toujours populaire, la marquise donnait au roi l'exemple d'un souverain "éclairé", animé par un sentiment profond de tolérance religieuse et d'attention à son peuple. En plaçant un ouvrage de Voltaire parmi les livres choisis pour signifier ses intentions et orientations nouvelles, elle mentionnait le philosophe et l'historien. Elle rendait aussi hommage à l'ami, à l'auteur de la première pièce où elle parut en scène à Étiolles, *Zaïre,* et à celui de *L'Enfant prodigue,* créé devant le roi dans le théâtre des petits cabinets de Versailles en 1747. Voltaire lui-même put y voir, en 1750, sa tragédie *Alzire* **(16)** dont la marquise interprétait le rôle titre.

Montesquieu : *De l'esprit des lois*

À la droite de l'épopée historique de Voltaire figure le tome III de *De l'esprit des lois,* sans que le nom de son auteur soit mentionné au dos de la reliure. Madame de Pompadour le connaissait fort bien : elle avait rencontré Montesquieu dès qu'elle avait été reçue chez madame de Tencin.

C'est effectivement sans nom d'auteur qu'avait paru l'œuvre maîtresse du penseur et philosophe, à Genève en 1748. La marquise possédait dans sa bibliothèque cette première édition, composée en deux tomes de format in-4°. Elle avait aussi l'édition en quatre tomes, publiée à Amsterdam l'année suivante, mais leur format in-12 ne correspond pas à la taille du volume reproduit par Delatour [46]. L'artiste respecta ici le désir de sa commanditaire. Toutefois, si elle lui prêta la robe dans laquelle elle avait posé, elle ne lui fournit pas les livres de sa bibliothèque.

Le plaidoyer de Montesquieu pour la séparation des pouvoirs et son idéal d'une monarchie constitutionnelle étaient en opposition complète avec la monarchie absolue établie par Louis XIV. Condamné par la Sorbonne, *De l'esprit des lois* est mis à l'Index par l'Église en décembre 1751. Delatour reprend, cette année-là, son portrait de la marquise qui se montre fort courageuse en faisant paraître à son côté l'ouvrage d'un auteur qu'elle connaît et apprécie mais qui vient d'être condamné : elle paraît en proposer la lecture au roi. Peut-être celui-ci ne le lut-il pas, mais la favorite devenue conseillère lui en parla certainement.

Entre *De l'esprit des lois* et l'*Encyclopédie,* un quatrième volume a été glissé dans l'ombre. Son titre est aujourd'hui difficile à lire et pourrait avoir été effacé ou modifié. S'agirait-il de *L'Histoire naturelle générale et particulière* de Buffon ? Grimm cite ce titre parmi les livres dressés sur cette table, en rendant compte du Salon de 1755. La *Correspondance littéraire* indique précisément le titre de l'ouvrage de Buffon dans les lettres manuscrites que le critique allemand d'expression française adresse régulièrement à quelques personnalités et souverains d'Europe pour les tenir informés de la vie littéraire et artistique de Paris [47]. La mention faite par Grimm a été reprise par plusieurs auteurs récents. À sa mort en 1764, la marquise avait neuf tomes de *L'Histoire naturelle…,* format in-4° et reliés de veau fauve [48]. Le naturaliste entreprit en 1744 ce "tableau de la nature entière", basé sur l'observation et l'expérimentation. Les premiers tomes parurent en 1749 composés par l'Imprimerie royale. Pourtant la Sorbonne condamna, en 1751, "la théorie de la terre" publiée par l'auteur en faisant converser – et s'opposer – un théologien et un philosophe.

Madame de Pompadour pourrait avoir songé à utiliser cet ouvrage en cette circonstance : la condamnation de Buffon intervint alors que Delatour reprenait le portrait depuis longtemps souhaité, et que le modèle en réclamait une conception nouvelle.

Un examen attentif de la pièce de titre du livre aujourd'hui dans l'ombre permet de distinguer les lettres CYCLOPE… S'agit-il d'une première apparition de l'*Encyclopédie* pour laquelle de nouvelles difficultés politiques en 1754 amenèrent à préférer donner au tome IV la place prépondérante qu'il a dans le portrait achevé ? Grimm se faisait-il l'écho d'une étape intermédiaire qu'il aurait pu voir dans l'atelier de l'artiste ? Seule chose sûre, il cita bien *L'Histoire naturelle* entre *De l'esprit des lois* et l'*Encyclopédie,* à la place qui est celle de ce livre au titre effacé.

L'Encyclopédie

L'Encyclopédie ou Dictionnaire Raisonné des Sciences, des Arts et des Métiers… [ouvrage publié] par une société de gens de lettres : cette publication marque, au milieu du XVIIIe siècle, le triomphe de "l'esprit philosophique" dans sa lutte contre les traditions, l'autorité et ses abus. Cette "société de gens de lettres" réunissait une vingtaine d'écrivains, penseurs et philosophes, dont Voltaire,

Montesquieu et Buffon. Elle était dirigée par Denis Diderot et Jean Le Rond d'Alembert, fils naturel de madame de Tencin. Diderot et d'Alembert en firent une œuvre originale, entièrement nouvelle, conçue comme un "dictionnaire raisonné des connaissances humaines… en exposant l'ordre et l'enchaînement". L'ouvrage était fondé sur un texte auquel les auteurs adjoignirent des images : dix-sept volumes in-folio de textes, onze volumes de planches les illustrant, complétés de 1777 à 1780 par des *Suppléments* et des *Tables*.

L'*Encyclopédie* paraît alors que recommencent à s'opposer ouvertement le pouvoir royal et le Parlement, les jésuites et les jansénistes, les dévots et le parti libéral. Madame de Pompadour fait alors ses premières expériences en politique.

Le premier volume de texte de l'*Encyclopédie* est publié en juin 1751. Mais dès le mois de janvier, les jésuites commencent à batailler avec les encyclopédistes qui critiquent plus ou moins ouvertement les fondements de l'éducation donnée dans leurs collèges, refusent la suprématie du catholicisme et prônent la liberté d'expression. Le 7 février 1752, un arrêt du conseil d'État du roi ordonne que les deux volumes de l'*Encyclopédie* déjà parus soient supprimés. Le directeur de la Librairie royale, Lamoignon de Malesherbes, souhaite ainsi éviter une condamnation plus grave que le parlement de Paris, dominé par les jansénistes, aurait vraisemblablement prononcée.

Diderot demande à madame de Pompadour, dans une lettre non datée, d'apporter son appui à l'entreprise : "Une société d'hommes laborieux, et qui n'ont d'autre prétention que celle d'être utiles à leurs semblables, consacrent plusieurs années à la rédaction d'un ouvrage qui doit être le dépôt des connaissances humaines. Tout ce qu'il y a de plus honnête de plus instruit dans toutes les classes de la société contribue avec empressement à ce travail important. […] Nous ne voulons point de défenseurs ; nous ne voulons que des juges. Soyez le nôtre, Madame, et soyez en même tems notre avocat, si vous trouvez que cela convienne : et rien ne me paraît plus convenable."[49]

Madame de Pompadour lui répond : "Monsieur, Je ne puis rien dans l'affaire du *Dictionnaire encyclopédique*. On dit qu'il y a dans ce livre des maximes contraires à la religion et à l'autorité des rois. Si cela est, il faut brûler le livre ; si cela n'est pas, il faut brûler les calomniateurs. Mais malheureusement ce sont les ecclésias-

tiques qui vous accusent, et ils ne veulent pas avoir tort. Je ne
sais que penser sur le tout, mais je sais quel parti prendre : c'est
celui de ne m'en mêler en aucune manière. Les prêtres sont trop
dangereux. Cependant, tout le monde me dit du bien de vous.
On estime votre mérite ; on honore votre vertu…" [50]
L'interdiction est levée en 1754. Le tome III paraît : il renferme
les premiers articles écrits par Voltaire pour ce "dictionnaire
raisonné". Le tome IV de l'*Encyclopédie* que l'on voit figurer
ici est annoncé pour novembre 1754. Malesherbes demande
– en vain – à Diderot de supprimer l'article sur la Constitution
Unigenitus qui doit paraître dans ce tome. Signée par le pape
Clément XI en 1713, la bulle *Unigenitus* condamnait le jansénisme
qui formait un parti hostile à l'absolutisme royal et était donc
défendu par les parlementaires. Les philosophes de l'*Encyclopédie*
allaient relancer les conflits et s'aliéner à la fois les jésuites et les
jansénistes.

Ce portrait au pastel ayant été exposé au Salon de 1755, la mise
en valeur du tome IV de l'*Encyclopédie* avait une signification
très forte. La marquise, durant les quelque dix années qui lui
restaient à vivre, s'opposa tant aux jésuites qu'aux parlementaires.
Avant sa mort en 1764, elle vit, en 1762, le Parlement supprimer
l'ordre des jésuites. Elle joua là un rôle important à travers le
comte de Stainville, futur duc de Choiseul, qu'elle avait fait nommer
ambassadeur auprès du pape Benoît XIV.
La bibliothèque de madame de Pompadour contenait sept tomes
in-folio de l'*Encyclopédie,* ceux parus avec les trois tomes de planches
avant la révocation du Privilège royal (l'autorisation de publier)
signée par Louis XV en 1759. Le catalogue de la bibliothèque de
la marquise mentionne "la Souscription pour les volumes suivans" [51].
Elle ne devait jamais les recevoir, car la publication de l'*Encyclopédie*
ne fut reprise qu'en 1765, donc après sa mort.

Le globe terrestre placé à la suite de ces ouvrages témoigne aussi
des intentions de la marquise : montée sur un support de bois doré,
cette sphère est tournée de telle sorte que la France y apparaisse
au centre.

39 Maurice-Quentin Delatour
Portrait de la marquise de Pompadour
Recueil du *Traité des pierres gravées* de P.-J. Mariette
et gravure qui en est tirée : Représentation de la situation où est le graveur de pierres fines (détail)

40 Madame de Pompadour
Frontispice de la *Suite d'Estampes*
Eau-forte, retouchée au burin - H 0,177 m ; L 0,133 m
Paris, musée du Louvre, collection Edmond-de-Rothschild
Inv. 18915 L.R.

41 Comte de Caylus (1692-1765) **d'après Edme Bouchardon** (1698-1762)
Le Graveur de pierres fines [Guay] *à son travail*
Eau-forte. Paris, Bibliothèque nationale de France, Réserve du département des Imprimés - RES. J. 595

En avant des livres et du globe, Delatour a clairement fait paraître un titre, *Traité des pierres gravées* **(39)**. Il est identifié jusqu'à présent comme une évocation du recueil de la *Suite d'Estampes Gravées Par Madame la Marquise De Pompadour d'Après les Pierres Gravées de Guay, Graveur du Roy* **(40)**. Cette suite ne fut terminée qu'en 1755. La confusion entre le *Traité...* de Mariette et la *Suite...* gravée par madame de Pompadour est un rapprochement erroné.

Le *Traité des pierres gravées* est l'ouvrage de Pierre-Jean Mariette, consacré à l'intaille et au lapidaire, l'art de la taille des pierres précieuses ou semi-précieuses ; la suite du titre l'indique comme *...Terminé avec la description de la collection formant le Cabinet du Roy, deux cent cinquante-sept planches avec les plus belles pièces gravées en creux de cette collection, exécutées sur les dessins de Bouchardon par le comte de Caylus.* Madame de Pompadour possédait dans sa bibliothèque les deux tomes de l'ouvrage de Mariette [52] ; le catalogue les indique comme reliés en maroquin rouge. Pour créer une harmonie dans l'ensemble de cette "nature morte", Delatour a coloré en bleu le tome ouvert qui retient sur la table une gravure déroulée, tirée du *Traité...* de Mariette. Une partie du titre a été recopiée par l'artiste : *Représentation de la situation où est le graveur de pierres fines et des divers instruments...* ; cette planche est celle qui figure face à la page 208 du premier tome de P.-J. Mariette. Delatour n'a pas hésité à attribuer à la favorite cette gravure en la signant *Pompadour sculpsit,* alors que cette planche fut en réalité gravée par le comte de Caylus. Il n'en reproduit qu'une partie, faisant disparaître le buste du roi placé à l'extrême droite. Les visiteurs avertis du Salon de 1755 connaissaient la planche gravée : ils purent comprendre la subtile allusion au lien royal et la délicatesse de ne pas afficher le roi sur ce portrait.

Du carton à dessins portant le blason armorié s'échappent des feuilles **(13)**, et les traits d'encadrement tirés sur la plus visible suggèrent un montage de dessin. La marquise n'en collectionna pas. Mais Voltaire témoigne qu'elle dessina et dut le faire avant 1750 puisqu'il ne la revit pas après son départ pour Berlin. Il lui aurait adressé cet impromptu, l'ayant surprise un jour le crayon à la main et dessinant une tête : "Pompadour, ton crayon divin / Devrait dessiner ton visage : / Jamais une plus belle main / N'aurait fait un plus bel ouvrage." [53]

42 Madame de Pompadour
Génie militaire
Eau-forte, retouches au burin - H 0,13 m ; L 0,11 m
Paris, musée du Louvre, collection Edmond-de-Rothschild
Inv. L. 207 L.R.

43 Madame de Pompadour
Génie de la Musique en bas relief
Eau-forte, retouches au burin - H 0,13 m ; L 0,11 m
Paris, musée du Louvre, collection Edmond-de-Rothschild
Inv. 18948 L.R.

Louis XV avait fait installer dans les petits appartements du deuxième étage une bibliothèque et une galerie de géographie – discipline qui le passionnait depuis l'enfance. Il leur avait adjoint un cabinet pour son tour. Cette machine permettait au roi de se délasser en façonnant de ses mains des objets de bois ou d'ivoire. La favorite était, depuis 1750, descendue dans son nouvel appartement du rez-de-chaussée. Elle remontait à son ancien étage pour y pratiquer la gravure. Elle y travaillait aux côtés du roi auquel elle demeurait attachée. Les tentatives de séduction de celles qui espéraient lui ravir les pouvoirs de maîtresse en titre l'exaspéraient.

La *Suite d'Estampes Gravées Par Madame la Marquise De Pompadour d'Après les Pierres Gravées de Guay, Graveur du Roy* **(40)** atteste qu'elle partageait en effet avec le roi une passion pour la glyptique, l'art de graver les pierres fines. Jacques Guay fut son maître ; elle lui fit établir un atelier à Versailles et travailla avec lui sur son touret. Des notes manuscrites de Guay détaillent la part prise par madame de Pompadour dans quelques œuvres de son maître. Elle pratiquait la gravure en creux, l'intaille, et celles en relief, le camée et le camaïeu. Guay précise ainsi en citant un

La fidelle Amitié?

44 Madame de Pompadour
La Fidelle Amitié
Eau-forte, retouche au burin - H 0,154 m ; L 0,132 m
Paris, musée du Louvre, collection Edmond-de-Rothschild
Inv. L. 207 L.R.

Génie militaire **(42)**, intaille gravée dans de la cornaline : "Madame de Pompadour donna cette pierre gravée en creux à M. Le comte d'Argenson, ministre et secrétaire d'État au département de la Guerre. Mme de Pompadour a beaucoup travaillé à cette pierre."[54] Il reprit cette dernière phrase au sujet d'un *Génie de la Musique* **(43)**, que la marquise incisa dans une "agathe et onix noire et blanche", aujourd'hui conservée au Cabinet des médailles de la bibliothèque nationale de France[55].

Guay indique aussi que madame de Pompadour "a presque toute faite *La Fidelle Amitié* **(44)**. Gravée en creux et montée en bague, elle appartient au prince de Soubise"[56].

Son attrait pour la gravure sur pierre fine l'entraîna à tenter de pratiquer la gravure sur cuivre. C'est ainsi qu'elle reproduisit le *Génie militaire* et le *Génie de la Musique*. Guay lui-même redessinait pour elle certaines des pierres qu'il avait gravées. Mais madame de Pompadour demanda surtout ce travail préparatoire à des artistes qui travaillaient alors pour elle : François Boucher, le principal décorateur du château de Bellevue construit par la favorite en 1750-1751, et Joseph-Marie Vien qui peignit les tableaux de l'église de Crécy en 1752. Avec l'aide de Boucher et surtout celle de Charles-Nicolas Cochin le fils, elle œuvra sur soixante-quatre planches gravées. Cette *Suite d'Estampes… d'Après des Pierres Gravées de Guay…* fut publiée en 1755 **(39)**.

Le portrait parut enfin aux yeux du public, en août 1755, dans le Salon carré du Louvre. Comme l'avait été le portrait de Louis XV de Carle Vanloo **(30)** au Salon de 1751, celui de la marquise de Pompadour fut placé sur un chevalet au centre de l'exposition. N'ayant pas figuré au Salon précédent, ce portrait n'était donc pas encore complètement achevé en 1753. Les reprises apparentes sur les deux derniers livres posés sur la table pour mettre en valeur le tome IV de l'*Encyclopédie* établissent que Delatour retoucha son œuvre en 1754, à la demande de madame de Pompadour. Les critiques furent presque toutes élogieuses : "Le premier objet digne d'attention qui se présente à la vue, est le *Portrait de Madame de Pompadour* : il semble que M. de La Tour ait épuisé dans cet ouvrage toutes les ressources de l'Art ; ce n'est pas une représentation, c'est la nature, c'est un être animé, assis derrière une glace ; draperies, ornement, ajustement, tout est riche dans ce Tableau, et tout fait effet. C'est un ouvrage qui fait naître pour son Auteur des sentimens d'admiration et de reconnoissance ; on est enchanté de voir les Arts faire de si grands efforts pour quelqu'un qui les protege avec tant de générosité, de discernement et de grandeur ; il resterait à désirer pour ce Tableau, qu'il fût mieux placé ; il est dans la partie la plus éclairée du Salon ; tous les objets extérieurs viennent se peindre dans la glace, ce qui rend ce Portrait très-difficile à être vu…" [57] Grimm fut le seul de ces critiques à mentionner le nom des philosophes, sans toutefois insister particulièrement sur les intentions que nous proposons d'y lire aujourd'hui.

Louis XV vit certainement – mais aucun document ne l'atteste – ce portrait dont il avait surpris l'une des premières séances de pose. Le roi comprit-il ce que sous-entendaient les ouvrages choisis par la marquise ? Il ne pouvait en être autrement. Mais les échanges sur ce sujet entre les deux amis fidèles qu'ils restèrent jusqu'à la mort de madame de Pompadour nous seront toujours inconnus. Il est clair que le roi n'accepta pas le programme suggéré : la marquise était allée trop loin en affichant si ouvertement des opinions libérales. Le programme qu'elle proposait à Louis XV était trop d'avant-garde pour qu'il pût l'admettre. Il l'eût fait, madame de Pompadour aurait contribué à modifier l'histoire de la France.

Cet exposé d'intention ne pouvait être compris à la Cour, où s'opposaient dévots, fidèles aux jésuites, et libertins, incapables de se rallier à l'exigence morale et à la hauteur d'esprit proposées par la favorite. Il ne fut apparemment pas compris non plus par Paris. Le peuple jugeait, non sans raisons, la marquise excessivement dépensière. Le monde politique se partageait entre les parlementaires fidèles au jansénisme et au gallicanisme et les ultramontins formés par les jésuites. Seuls le milieu des financiers dont était issue madame de Pompadour et les cercles intellectuels auxquels elle s'était agrégée apprécièrent et comprirent le portrait de Delatour.

La marquise le fit porter dans son hôtel parisien où il fut inventorié après son décès [58]. Il ne figura pas à la vente de son frère en 1782. Il réapparut en 1797, quand M. Lespinasse d'Arlet l'offrit au Muséum central des arts – le nom que portait alors le musée du Louvre – qui le refusa ! Il figura dans une vente du Mont-de-Piété en 1803. Acquis par le marchand Paillet, il fut revendu par lui au Muséum qui l'envoya à Versailles, au Musée spécial de l'École française.

Au Salon de 1757 fut exposée une peinture de François Boucher **(45)**. Deux ans après l'image de Delatour paraissait une nouvelle proposition de portrait presque officiel, situé lui aussi dans un cadre intime. La marquise de Pompadour y paraît mollement assise sur une méridienne ; elle tient encore un livre à la main, mais les autres ouvrages sont cachés dans une bibliothèque, et les titres en sont illisibles ! Dessins et gravures sont accumulés aux pieds du modèle, mais en partie cachés par son chien à gauche et dissimulés sous des roses sur la tablette inférieure de la table, placée à droite. Boucher reprenait là les deux esquisses déjà citées **(31 et 32)**. Nous avons vu que madame de Pompadour, n'ayant pu obtenir à temps son portrait par Delatour, s'était déjà tournée vers Boucher en lui commandant son portrait, qu'elle désirait faire circuler en Italie, aux côtés de celui de Louis XV **(30)**, durant le Grand Tour fait par son frère de 1749 à 1751. À la veille de son apparent retour vers l'Église, ce choix d'une pose d'odalisque contraste fort évidemment avec l'attitude majestueuse de l'image demandée à Delatour : madame de Pompadour y paraît assise dans son fauteuil comme sur un trône.

45 **François Boucher** (1703-1770)
Portrait de la marquise de Pompadour
Huile sur toile - H 2,10 m ; L 1,57 m
Munich, Bayerische Hypotheken-und Wechsel-Bank (n° 18), en dépôt à la Alte Pinakothek

Le *Portrait de la marquise de Pompadour* ne rentra au Louvre, nous l'avons vu, qu'en 1838. Il est maintenant presque constamment accroché dans les salles consacrées aux peintures françaises du XVIIe et du XVIIIe siècle (aile Sully, 2e étage, salles 23, 41, 42, 44 et 45) où notre département expose en permanence un choix, renouvelé régulièrement, de son exceptionnelle collection de pastels.

Le public peut donc jouir des qualités esthétiques de l'œuvre de Delatour en même temps qu'il découvre – et admire – les ambitions artistiques et intellectuelles, ainsi que le courage, de la marquise de Pompadour.

Notes

[1] Charles Augustin Sainte-Beuve, *Causeries du lundi,* Paris, 7e édit., s. d., t. II, p. 506.

[2] Edmond et Jules de Goncourt, *Madame de Pompadour, nouvelle édition, revue et augmentée de lettres et documents inédits...,* Paris, éd. 1888, p. 321-326.

[3] Léonard de Vinci, *Codex Atlanticus,* manuscrit, folio 247, Milan, Biblioteca Ambrosiana.

[4] Françoise Viatte, *Léonard de Vinci. Isabelle d'Este,* collection "Solo", n° 12, Paris, 1999.

[5] E. et J. de Goncourt, *op. cit.* (note 2), p. 322.

[6] Ces trois pastels sont au Louvre, inventaire 29872, 29873 et 29874 ; voir Geneviève Monnier, *Pastels. XVIIe et XVIIIe siècles. Paris. Musée du Louvre. Cabinet des Dessins,* Paris, 1972, nos 2, 3 et 4, repr.

[7] *Ibid.,* nos 39, 84 et 85.

[8] Danielle Gallet, *Madame de Pompadour ou le pouvoir féminin,* Paris, Fayard, 1985, rééd. 1994, p. 15.

[9] M. de Lescure, *Correspondance complète de la Marquise du Deffand avec ses amis... éclairée par de nombreuses notes par M. de Lescure,* Paris, 1878, p. 70.

[10] Théodore Besterman, *The complete works of Voltaire... Correspondance,* t. IX, Genève, 1970, D. 3122.

[11] D. Gallet, *op. cit.* (note 8), p. 47.

[12] Cit. par Maurice Lever, *Louis XV libertin malgré lui,* Paris, Payot, 2001, p. 14.

[13] Fernand Engerand, *Inventaire des tableaux commandés et achetés par la direction des bâtiments du Roi...,* Paris, 1901, p. 333.

[14] Xavier Salmon, *Catalogue de l'exposition Jean-Marc Nattier 1685-1766, musée national des châteaux de Versailles et Trianon,* 1999-2000, p. 244-246.

[15] *Ibid.,* nos 22 et 26, repr.

[16] *Ibid.,* nos 49 à 52.

[17] Philippe de Chennevières et Anatole de Montaiglon, *Abecedario de P. J. Mariette et autres notes inédites de cet amateur sur Les arts et les Artistes...,* t. III, Paris, 1854-1856, p. 68-70.

[18] G. Monnier, op. cit. (note 6), nos 53 et 54.

[19] *Ibid.,* n° 79 ; la préparation n'a pas été cataloguée dans cet ouvrage.

[20] Christine Debrie, *Maurice-Quentin De Latour...,* Saint-Quentin, 1991, p. 32-33.

[21] F. Engerand, *op. cit.* (note 13), p. 269.

[22] Georges Wildenstein, *Un pastel de La Tour, le Président de Rieux,* Paris, 1919.

[23] Auguste-Poulet Malassis, *Correspondance de madame de Pompadour, éditée par...,* Paris, 1878, p. 55.

[24] *Ibid.,* p. 37.

[25] *Ibid.,* p. 43.

[26] *Ibid.,* p. 45.

[27] *Ibid.,* p. 48.

[28] *Ibid.,* p. 50.

[29] *Ibid.,* p. 52-53.

30 *Ibid.*

31 *Ibid.*, p. 57.

32 *Ibid.*, p. 61.

33 *Ibid.*, p. 63.

34 *Ibid.*, p. 70.

35 Alastair Laing dans *Catalogue de l'exposition François Boucher, 1703-1770,* New York, Detroit, Paris, 1986-1987, p. 252-255.

36 *Ibid.*, p. 254.

37 Charles Magnier, *Madame de Pompadour et de La Tour,* Saint-Quentin, 1904, p. 5 à 8.

38 Emmanuel Bergerat, *La Pompadour,* Paris, 1901.

39 Jean-René Durdent, dans *Biographie universelle,* publiée par Michaux, t. 46, p. 343-344.

40 D. Gallet, "Madame de Pompadour et l'appartement d'en bas au château de Versailles", dans *Gazette des Beaux-Arts,* octobre 1993, p. 129-138.

41 D. Gallet, *op. cit.* (note 8), p. 121.

42 E. et J. de Goncourt, *op. cit.* (note 2), p. 322.

43 La caisse n'a pas ici les épaules tombantes caractéristiques des violes, le chevillier est légèrement incliné vers l'arrière et présente huit chevilles sur le plat dont quatre apparaissent au dos, enfin la tête du chevillier n'est pas sculptée comme l'étaient les têtes de viole.

44 Jean-Th. Hérissant et Jean-Thomas Hérissant fils, *Catalogue des livres de la bibliothèque de feue la marquise de Pompadour...,* Paris, 1765, nos 1407 à 1412.

45 *Ibid.*, nos 721 à 723.

46 *Ibid.*, nos 220 et 221.

47 Frédéric Melchior Grimm, *Correspondance littéraire..., année 1755,* éd. 1878, t. VI, p. 91.

48 J.-Th. Hérissant et J.-Th. Hérissant fils, *op. cit.* (note 44), n° 297.

49 Denis Diderot, *Correspondance,* t. I (1713-1757) recueillie, établie et annotée par Georges Roth, Paris, 1955, Éditions de Minuit, p. 160.

50 Copie manuscrite, bibliothèque nationale de France, département des Manuscrits, N. acq. fr. vol. 13 781 ; D. Diderot, *op. cit.* (note 49), p. 161.

51 J.-Th. Hérissant et J.-Th. Hérissant fils, *op. cit.* (note 44), n° 400.

52 *Ibid.*, n° 3374.

53 Voltaire, *Poésies mêlées, œuvres complètes,* t. X, Paris, 1877, p. 545.

54 J. F. Leturcq, *Jacques Guay et la marquise de Pompadour.* Notice sur Jacques Guay, Paris, 1873, p. 143.

55 *Ibid.*, p. 145.

56 *Ibid.* p. 149.

57 *Lettre sur le Salon de 1755 adressée à ceux qui la liront,* Paris, 1755.

58 Jean Cordey, *Inventaire des biens de Madame de Pompadour rédigé après son décès,* Paris, 1939, p. 32.

Musée du Louvre, Paris, 2002

Collection "Solo"

Conception de la collection
et coordination :
Violaine Bouvet-Lanselle,
Service culturel.

La Marquise de Pompadour
Jean-François Méjanès
conservateur en chef au département
des Arts graphiques.

Secrétariat d'édition :
Cécile Dufêtre,
musée du Louvre.

Collecte de l'iconographie :
Annie Delage.

Conception graphique :
Frédéric Balourdet,
musée du Louvre.

Maquette, mise en page :
Agathe Hondré,
musée du Louvre.

Coordination de l'atelier graphique :
Anne-Louise Cavillon,
musée du Louvre.

Remerciements à
Denise Allen, The J. Paul Getty Museum,
Los Angeles ; Christian Baulez, musée
national des châteaux de Versailles et Trianon ;
Guy Blazy, musée des Arts décoratifs et
Musée historique des tissus, Lyon ; Yves
Bourel, musée de l'Hôtel Sandelin, Saint-Omer ;
Hervé Cabezas, musée Antoine-Lecuyer,
Saint-Quentin ; Marie-Jo de Chaignon,
Musée historique des tissus, Lyon ;
Régine Dupichaud, musée du Louvre ;
Évelyne Gaudry Poitevin, musée des Arts
décoratifs et Musée historique des tissus,
Lyon ; Marie-Hélène Guelton, Musée historique
des tissus, Lyon ; Ishtar Kettaneh Méjanès ;
Sabine de La Rochefoucauld ; Alain Pecquet,
bibliothèque Guy-de-Maupassant, Saint-
Quentin ; Madeleine Pinault-Sørensen,
musée du Louvre ; Xavier Salmon, musée
national des châteaux de Versailles et Trianon ;
Marie Shoefer, Musée historique des tissus,
Lyon ; Jean Vittet, Mobilier national.

Crédits photographiques :
Les numéros sont ceux des figures.
Dijon : Musée des Beaux-Arts / F. Jay, 17.
Los Angeles : The J.P Getty Museum, 27, 28.
Paris : Bibliothèque musée de l'Opéra / BNF,
15, 16 ; BNF, 41 ; RMN, 19, 32 ; RMN / G. Blot,
couv., 1, 6, 13, 24, 29, 30, 33, 34, 35, 36, 37,
38, 39 ; RMN / J.G Berizzi : 2, 12, 25, 26 ;
RMN / Arnaudet, 8, 9 ; RMN/M. Bellot, 10, 11,
23 ; RMN/Le Mage, 20, 40, 42 ; RMN, 14,18,
43, 44 ; Somogy/Ph. Fuzeau, 3, 4, 5, 7. Saint-
Omer : Hôtel Sandelin / Roland Degryck, 22.
Tokyo : Galerie Ida, 21. Waddesdon Manor :
M. Fear © National Trust, 31. DR : 45.

© Éditions de la Réunion
des musées nationaux,
Paris, 2002
49, rue Étienne-Marcel
75001 Paris

Achevé d'imprimer en février 2002
par Floch-London, Paris.
Photogravure :
Allo Scan.

Dépôt légal : février 2002
ISBN : 2-7118-4451-X